HORVÁTH

EINEM SCHRIFTSTELLER
AUF DER SPUR

HEINZ LUNZER
VICTORIA LUNZER-TALOS
ELISABETH TWOREK

Residenz Verlag

www.residenzverlag.at

© 2001 Residenz Verlag, Salzburg-Wien-Frankfurt/Main
Alle Rechte vorbehalten
Text- und Bildnachweis siehe S.158 und S.160
Originaldokumente werden in der Transkription unkorrigiert und unkommentiert
wiedergegeben.
Dem Suhrkamp Verlag, Frankfurt am Main, danken wir für die freundliche
Abdrucksgenehmigung für Texte aus Ödön von Horváths publizierten Werken.
Frau Elisabeth von Horváth und Herrn Dr. Hans Leiningen-Westerburg, Preßbaum / Wien
danken wir für die Erlaubnis zur Verwendung von unpublizierten Texten Ödön von
Horváths.
Alle Aufführungs-, Sende- und Übersetzungsrechte für Ödön von Horváths Texte liegen
ausschließlich beim Thomas Sessler Verlag, Wien und München.
Satz: Compucats, Wien
Druck und Bindung: Rema Print Druck und Verlagsges.m.b.H., Wien
ISBN 3-7017-1277-8

INHALT

Maria Hermine von Horváth, geb. Přehnal. Unbezeichnete Fotografie.
Die Mutter Ödöns stammte aus Siebenbürgen. Ihr Vater war Militärarzt.
Dr. Edmund Josef von Horváth, in ungarischer Uniform. Fotografie,
1910.

Carl Zuckmayer berichtete aus den 1920er Jahren:
*Eines Tages sagte er uns, seine Eltern kämen zu einem Besuch
nach Berlin, ob wir sie nicht einladen möchten. [...] Die Prole-
tarierlegende hatte er längst begraben, aber er hatte von seiner
Familie eher «murnauerisch» gesprochen. Was dann zu Besuch
kam, war die echte, unveränderte alt-österreichisch-ungarische
Aristokratie, und zwar in ihrer bescheidensten und gescheitesten,
charmantesten und liebenswertesten Form. Sie waren aus einer
anderen Zeit, aber dennoch aus unserer Welt, an der sie teilhat-
ten durch das Medium ihrer Söhne. Natürlich war die Denkart
und Tradition der Eltern konservativ, aber alles andere als
«reaktionär»: in ihnen lebte die Liberalität eines übernationa-
len, weltoffenen Katholizismus.*
[*Carl Zuckmayer: Aufruf zum Leben, 210 f]*

6

Ödön von Horváth wurde in eine großbürgerliche Beamtenfamilie der österreichisch-ungarischen Monarchie hineingeboren. Vater wie Mutter stammten von Angehörigen des Militärs ab. Ihre Jugend hatten sie in Ungarn verbracht.

Die Eltern heirateten am 26. Februar 1901. Zu dieser Zeit war der Vater Ministerial-Concepts-Adjunkt am königlich ungarischen Gubernium in Fiume (heute Rijeka, Kroatien).

Edmund Josip (Ödön) wurde am 9. Dezember 1901 in Sušak, einem Vorort von Fiume, geboren und am 23. Dezember getauft. Der jüngere Sohn Lajos kam am 6. Juli 1903 in Belgrad zur Welt.

Edmund Horváths Karriere verlief rasch ansteigend. Er wurde 1909 geadelt, kurz darauf als Ministerialvizesekretär Fachberichterstatter des königlichen ungarischen Handelsministeriums in München. Bald avancierte er zum Attaché an der ungarischen Gesandtschaft in München.

Ödön Horváth. Fotografie, um 1905.

Die Familie verließ, dem dienstlichen Einsatz des Vaters entsprechend, im Sommer 1902 die Geburtsstadt Ödöns, und wohnte bis 1908 in Belgrad. Von dort übersiedelte man nach Budapest. Bereits 1909 wurde der Vater nach München versetzt. Ödön erhielt bis 1911 in Budapest Privatunterricht, besuchte dann das Rákóczy-Gymnasium und übersiedelte im Sommer 1913 ebenfalls nach München.

Die Sprache, die man zu Hause verwendete, war Deutsch; die Erziehungssprache der Hauslehrer und der Schule in Budapest Ungarisch. Die schwachen Leistungen Ödöns in den Münchner Gymnasien wurden erst mit den mehrsprachigen Einflüssen entschuldigt, bald jedoch ins Gesamtbild eines mäßigen Schülers einbezogen. Nachdem er zweimal in der selben Stufe durchgefallen war, konnte Ödön in München keine höheren Schulen mehr besuchen. Daher wurde er 1916 nach Preßburg geschickt.

Das Schuljahr 1918 verbrachte er in Budapest, die letzten Monate seiner Schulbildung im Sommer 1919 in einer privaten Wiener Maturaschule.

Die Einkommenssituation des Vaters erlaubte der Familie den Besitz eines Autos und eine allsommerliche Urlaubsreise in eine Feriengegend. 1907 waren die Horváths in Döbriach, Kärnten; mehrere Sommer hielten sie sich in Venedig auf. In den 1920er Jahren kam zu einer großen Stadtwohnung in München das Haus in Murnau hinzu.

Die Eltern begleiteten den Wunsch des Sohnes, Schriftsteller zu werden, mit freundlichem Wohlwollen und unterstützten ihn. Der Laufbahn des Sohnes Ödön als Schriftsteller standen keine Hindernisse entgegen. Sein Einkommen gestaltete sich nach wenigen Jahren zwar vielversprechend, war aber nur für kurze Zeit vor 1933 so einträglich, daß er sich selbst mit seiner schriftstellerischen Arbeit ernähren konnte.

Fiume (heute Rijeka, Kroatien). Blick auf den Vorort Sušak.
Fotografie Karl König, 1933.
Das Kronland Kroatien-Slawonien gehörte seit dem Ausgleich 1867 zum
Königreich Ungarn; Fiume war dessen wichtigste Hafenstadt an der Adria.
Belgrad (Beograd, Serbien). Der Konak, das ehemalige serbische Königs-
schloß. Fotografie, um 1925.
Rechts hinter dem Baum ist jener alte Teil des Schlosses zu sehen, in dem
bei einer Revolte am 11. Juni 1903 König Alexander I. und seine Frau
ermordet wurden. Horváths wohnten in der König-Milan-Straße gegen-

8

über dem Konak. Vater Edmund ging noch in der Nacht der Bluttat ins Schloß und wurde Augenzeuge, was er in seinem Buch «So starb der Friede. Unbekanntes über die Entstehung des Weltkrieges» (Berlin, 1930) – ein diplomatiegeschichtliches Werk zur Vorgeschichte des Ersten Weltkriegs – kurz beschrieb.

Die Brüder Lajos und Ödön Horváth im Matrosenanzug.

Fotografie Franz Grainer, München, um 1909.

Budapest. Blick von Süden auf die Donau und die Stadt.
Undatierte Fotografie.
Die Familie Horváth bei einer Autofahrt, der kleine Ödön am Steuer.
Fotografie, um 1907.

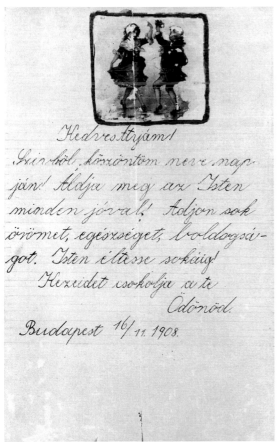

Budapest, Erzbischöfliches Internat Rákócziánum. Undatierte Ansichtskarte.

In diesem Gymnasium erhielt Ödön von Horváth Unterricht von 1911 bis 1913.

Ödön an Edmund Josef Horváth, Glückwunsch zum Namenstag des Vaters, 16. November 1908. [vgl. Horváth Blätter 1, 101 f]

Der Text lautet auf Ungarisch:

Kedves Atyám!
Szivböl köszöntöm neve napján! Áldja meg
az Isten minden jóval! Adjon sok örömet,
egészséget, boldogságot. Isten éltesse
sokáig!
Kezeidet csskolja a te
Ödönöd.
Budapest 16/11. 1908.

Der Text lautet auf Deutsch:

Mein lieber Vater!
Herzliche Grüße zu Ihrem Namenstag! Gott
segne Sie mit allem Guten! Er gebe Ihnen
viel Freude, Gesundheit, Glück. Gott lasse
Sie lange leben.
Deine Hände küßt
Dein Ödön.

1909 wurde der Vater als «Fachberichterstatter des königlich-ungarischen Handelsministeriums im Auslande» nach München versetzt. Die Familie Horváth bezog eine Wohnung in der noblen Prinzregentenstraße 24 und zog 1913 in die Widenmayerstraße 43 an der Isar um.

Im Sommer 1913 verschärften sich die Spannungen zwischen Österreich-Ungarn und Serbien. Deshalb holten die Eltern ihre Söhne im Sommer 1913 nach München und ließen sie dort im Herbst weiter zur Schule gehen. Ödön trat in die dritte Klasse des humanistischen königlichen Kaiser-Wilhelms-Gymnasiums in der Thierschstraße 46 ein. Beim Schlittschuhlaufen auf dem Groß-hesseloher See in München lernte er die elfjährige Gustl Emhardt kennen. Sie erinnerte sich:

Er war groß und stämmig gegenüber allen anderen, und wenn wir eine Kette bildeten, war er der Größte und Stärkste. Er war der «Stemmer», der die ganze Kette hielt, die um ihn herum kreiste. Dann strahlte er vor Wonne.

Wenn wir zwei allein über das Eis fuhren, sprachen wir über Bücher. Ödön brachte immer Bücher mit. Ich erinnere mich an einige Autoren, wie Büchner, Rimbaud, Edgar Allan Poe, E. T. A.

Ödön von Horváth und ein Mitschüler. Fotografie, um 1916.

Hoffmann, Oscar Wilde (Das Bildnis des Dorian Gray) *und Meyrink* (Der Golem)*. [...]*

Seine herzliche, hilfsbereite Art bekam jeder zu spüren, der es nötig hatte. Er war immer für alle da und half, wo er konnte.

[Gustl Schneider-Emhardt, in: Horváth Blätter 1, 65]

12

Wegen seiner schlechten Leistungen in Latein wechselte Ödön ein Jahr später auf das neusprachliche Alte Realgymnasium in der Siegfriedstraße 22. Die vormilitärische Erziehung zum Krieg erfuhr er dort während seiner Münchner Schulzeit am eigenen Leib. Die liebevolle und liberale Erziehung seiner Mutter stand im scharfen Kontrast zur strengen Schulerziehung, zu Disziplin und Gehorsam. Zudem reizte den Diplomatensohn das wirkliche Leben mehr als der trockene Lernstoff. Auch im Alten Realgymnasium fand er sich nur mit Mühe zurecht. Schon im Zeugnis für Edmund von Horváth vom 14. Juli 1914 hieß es:

Der Schüler trat zu Beginn des Schuljahres aus dem Erzbischöfl. Obergymnasium in Budapest in die Anstalt ein. Er beherrscht die deutsche Sprache so weit, daß er dem Unterrichte zu folgen vermochte und in den meisten Fächern bei anerkennenswertem Fleiße genügende Fortschritte erzielte. Im Deutschen freilich, wo seine Kenntnisse in Grammatik und Orthographie noch unsicher sind, stehen seine Leistungen an der Grenze des Genügens, im Latein vollends vermochte er nicht mehr zu genügen. Sein Betragen war lobenswert.

[Krischke / Prokop 1977, 42]

Im Jahr 1916 hatte Ödön von Horváth die vierte Klasse am Alten Realgymnasium bereits zum zweiten Mal wiederholt und war erneut durchgefallen. Die Schulordnung sah für diesen Fall vor, daß ihn der Lehrerrat vom weiteren Besuch eines Real-Gymnasiums ausschließen mußte. Ministerialrat Dr. Edmund von Hor-

München, «**Neues [später: Altes] Realgymnasium**» (heute Oskar von Miller-Gymnasium), Siegfriedstraße 22. Undatierte Fotografie.

Edmund von Horváth. Undatiertes Porträt, Scherenschnitt.

Aufgrund der allgemeinen Mobilmachung in Österreich-Ungarn Ende Juli 1914 wurde auch Dr. Edmund von Horváth einberufen und rückte als Reserveleutnant des k. u. k. 101. Infanterieregiments ein, das in Serbien stationiert war. 1915 wurde er von der Front abberufen und kam in ein Kriegsgefangenenlager in Thalerhof bei Graz als Dolmetscher. Noch im selben Jahr wurde er als Attaché an der Ungarischen Gesandtschaft in München tätig. Im Januar 1918 dankte ihm der Oberbürgermeister von München, Wilhelm Georg von Borscht, für alles, «was Sie in vielen Beweisen Ihres persönlichen Wohlwollens und tatkräftiger Unterstützung dem Gemeinwesen unserer Bürgerschaft Gutes und Ersprießliches geleistet haben.»

váth wandte sich an den Direktor des Alten Realgymnasiums München, Siegfriedstrasse 22, mit der Bitte, seinem Sohn Ödön die Erlaubnis zu gewähren, die Schule an einem ungarischen Gymnasium fortsetzen zu dürfen.

Der Text des nebenstehend abgebildeten Briefs lautet:
Widenmayerstrasse 43
Hochgeehrter Herr Oberstudienrat!
Bezugnehmend auf die mir gestern gütigst gewährte Unterredung beehre ich mich beiliegend das Gesuch betreffs meines Sohnes mit der ergebensten Bitte zu übermitteln, selbes wohlwollend zu begutachten und dem Ministerium vorlegen zu wollen.
Nach einigen Tagen werde ich mir erlauben im Ministerium vorzusprechen. Mit bestem Danke
Euer Hochwohlgeboren Ergebenster
Dr. Edmund von Horváth
München 2 / VII 1916

Der Oberstudienrat befürwortete das Gesuch des Vaters, «da an dem Misserfolg im Latein zum Teile der Mangel an Kenntnissen der deutschen Sprache schuld ist, da der Schüler in fast allen anderen Fächern gute Noten hat und da ihn der Vater nach Ungarn in eine Oberrealschule ohne Lateinunterricht geben will». Das Bayerische Kultusministerium gab dem Gesuch des Vaters statt. Ödön von Horváth durfte seine Schulzeit in Preßburg fortsetzen.

Zwar ging Horváth während des Ersten Weltkriegs und der anschließenden revolutionären Unruhen noch zur Schule. Er war zu jung, um als Soldat in die Schützengräben geschickt zu werden, aber die Brutalität des Krieges und die Sinnlosigkeit des Sterbens der Soldaten nahm er bewußt auf; diese Eindrücke hinterließen tiefe Spuren. Seine Erinnerungen flossen zwanzig Jahre später in den Roman «Jugend ohne Gott» ein.

Krieg und Kriegsdienst aus jugendlicher Perspektive stellte Ödön von Horváth in einem autobiografischen Text so dar:
Ganz am Anfang gefiel uns Buben der Weltkrieg ganz ausgezeichnet. Wir hatten viele schulfreie Tage, und es gab immer wieder eine Sensation – – deren fürchterliche Ursachen und Auswirkungen wir damals natürlich weder erfassen konnten noch sollten. Wir waren alle sehr begeistert und es tat uns außerordentlich leid, daß wir nicht um fünf bis sechs Jahre älter waren – – dann hätten wir nämlich sofort hinaus können in das Feld. Natürlich spielte bei dieser Begeisterung auch der Gedanke an ein Zeugnis ohne Prüfungen eine nicht zu unterschätzende Rolle.
[Horváth, [Wenn sich jemand bei mir erkundigt ...], 1932, kA 11, 208 f]

Der Konflikt zwischen den Auslösern und Leidtragenden am Krieg ging deutlich tiefer.

14

WIDENMAYERSTRASSE 43.

[Handschriftlicher Brief in deutscher Kurrentschrift, schwer lesbar]

Hochgeehrter Herr Oberstudienrat!

München 2/VII 1916

Edmund von Horváth an das Alte Realgymnasium, München, Brief
vom 2. Juli 1916.

München, Marienplatz. Fotografie Pettendorfer, 1914.
‹**Münchner Post**›, München, vom 30. Juli 1914. S.1 (Ausschnitt).
Die sozialdemokratische Tageszeitung betitelt den Bericht über die öster-
reichisch-ungarische Kriegserklärung an Serbien mit der realistischen Ein-
schätzung «Vor der Katastrophe».

Verwundete im Bayerischen Vereinslazarett in
München. Fotografie Pettendorfer, 1914/1918.
Bayern hatte während des Ersten Weltkrieges 25
Divisionen mit rund 900 000 Mann unter Waffen.
Die Verluste der bayerischen Armee waren enorm:
Etwa 177.000 Soldaten kostete dieser Krieg das
Leben; 435.340 Soldaten wurden verwundet;
68.493 gerieten in Gefangenschaft.

*Als der sogenannte Weltkrieg ausbrach, war ich dreizehn Jahre
alt. An die Zeit vor 1914 erinnere ich mich nur, wie an ein lang-
weiliges Bilderbuch. Alle meine Kindheitserlebnisse habe ich im
Kriege vergessen. Mein Leben beginnt mit der Kriegserklärung.*

*Ich bin am 9. Dezember 1901 in Fiume geboren. Während
meiner Schulzeit wechselte ich viermal die Unterrichtssprache
und besuchte fast jede Klasse in einer anderen Stadt. Das Ergeb-
nis war, daß ich keine Sprache ganz beherrschte. Als ich das erste
Mal nach Deutschland kam, konnte ich keine Zeitung lesen, da ich
keine gotischen Buchstaben kannte, obwohl meine Muttersprache
die deutsche ist. Erst mit vierzehn Jahren schrieb ich den ersten
deutschen Satz.*

*Wir, die wir zur großen Zeit in den Flegeljahren standen,
waren wenig beliebt. Aus der Tatsache, daß unsere Väter im Felde
fielen oder sich drückten, daß sie zu Krüppeln zerfetzt wurden
oder wucherten, folgerte die öffentliche Meinung, wir Kriegslüm-
mel würden Verbrecher werden. Wir hätten uns alle aufhängen
dürfen, hätten wir nicht darauf gepfiffen, daß unsere Pubertät in
den Weltkrieg fiel. Wir waren verroht, fühlten weder Mitleid noch
Ehrfurcht. Wir hatten weder Sinn für Museen noch die Unsterb-
lichkeit der Seele – und als die Erwachsenen zusammenbrachen,
blieben wir unversehrt. In uns ist nichts zusammengebrochen,
denn wir hatten nichts. Wir hatten bislang nur zur Kenntnis
genommen.*

*Wir haben zur Kenntnis genommen – – und werden nichts
vergessen. Nie. Sollten auch heute einzelne von uns das Gegenteil
behaupten, denn solche Erinnerungen können unbequem werden,
so lügen sie eben.*

[Horváth, Autobiographische Notiz, 1927, kA 11, 183]

*Es sitzt ein Schneemann auf der Bank, er ist
ein Soldat.*

*Und du, du wirst größer werden und
wirst den Soldaten nicht vergessen.*

Oder?

Vergiß ihn nicht, vergiß ihn nicht!

Denn er gab seinen Arm für einen Dreck.

*Und wenn du ganz groß sein wirst, dann
wirds vielleicht andere Tage geben und deine
Kinder werden dir sagen: dieser Soldat war
ja ein gemeiner Mörder – dann schimpf nicht
auch auf mich.*

*Bedenk es doch: er wußt sich nicht an-
ders zu helfen, er war eben ein Kind seiner
Zeit.*

[Horváth, Ein Kind unserer Zeit, 1937, kA 14, 127]

Ein Mitschüler erinnerte sich 1931:
Er trug natürlich lange Haare, und die hingen ihm vorn über die Stirne ins Gesicht. Dichter sehen immer so aus – auch wenn sie erst fünfzehn Jahre alt sind und in «Literaturgeschichte» in der Preßburger ungarischen Oberrealschule mit einer glatten Vier durchfallen. Sie rennen, genau wie es der Kleist-Preisträger Horváth in Preßburg tat, immer den Mädchen nach, verfassen fürchterliche Pamphlete gegen ihre Professoren, sind ein wenig im Äußeren verschlampt und im Inneren ein wenig unordentlich und verursachen ihren Vätern die größten Schereien, weil die Professoren mit ihnen nicht zufrieden sind. Oder gibt es einen Pädagogen, der mit seinen Schülern zufrieden ist, wenn dieser während der Unterrichtsstunde literarische Produkte unter der Bank verfaßt?

[Eugen Holly, in: Materialien zu Ödön von Horváth, 19]

Ab Herbst 1916 besuchte Ödön von Horváth die staatliche Oberrealschule in Preßburg / Bratislava / Pozsony (heute Bratislava, Hauptstadt der Slowakei). Damals war dies die westlichste Stadt, in der Unterricht in ungarischer Sprache erteilt wurde.

Horváth wohnte bei einem seiner Lehrer in der Dussilgasse. Laut der Angabe von Schulkollegen entstanden hier die ersten erzählenden Texte.

Im Mai 1918 schloß Horváth in Preßburg die 6. Klasse mit «genügendem» Erfolg ab. Das folgende Schuljahr verbrachte er vermutlich in Budapest, wohin der Vater zu Anfang des Jahres aus München versetzt worden war. Es war ein unruhiges Jahr: Die Donaumonarchie zerfiel mit dem Ende des Ersten Weltkriegs im Oktober und November 1918, die Nachfolgestaaten konstituierten sich. Während die südslawischen Länder zum Königreich Jugoslawien wurden, rief man in Deutschland, Österreich, Ungarn, Polen und der Tschechoslowakei die Republik aus. Der Wechsel der Staatsgewalt und die Einführung von demokratischen Regierungsformen ging unterschiedlich gewaltsam vor sich. In Ungarn und in Bayern bildeten sich 1919 Räterepubliken; in «Deutsch-Österreich» blieben die Versuche der Kommunisten, an die Macht zu gelangen, ohne Erfolg.

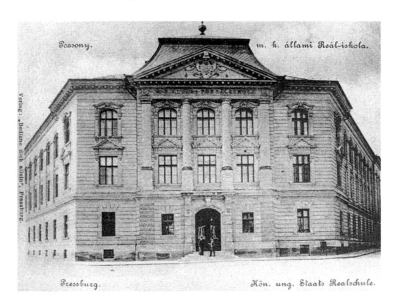

Preßburg / Bratislava / Pozsony. Die Oberrealschule. Fotografie, 1905. Hier ging Horváth 1916/1918 zur Schule.
Preßburg / Bratislava / Pozsony. Blick in die Basteigasse / Baštová ulica. Fotografie, um 1914.
Demonstration der roten ungarischen Armee in Budapest. Fotografie, 1918.

Das Ende der Habsburger Monarchie erlebte Ödön von Horváth in Budapest. Sein Bruder Lajos von Horváth erzählte:

Die Revolution in Budapest brach aus, die sogenannte Herbstrosenrevolution. Wir kamen nach Budapest, lebten im Hotel, konnten natürlich nicht bezahlen. Tag und Nacht Demonstrationen, Unruhen, Schießereien ... Ödön war immer dabei und kam vormittags oder erst mittags nach Hause. Es hat ihn alles überaus interessiert ... Vater meldete sich im Ministerium, niemand war zuständig ... Die Herbstrosenrevolution – die Soldaten hatten statt der Kokarden Blumen auf die Mützen gesteckt – wurde von einer kurzlebigen kommunistischen Diktatur abgelöst. Die folgende Regierung ernannte Vater zum Regierungsvertreter für Bayern, Baden, Württemberg.

[Lajos von Horváth, in: Krischke / Prokop 1977, 51]

Konz. Institut Vrtel
1. Graben, Habsburgergasse 5
Mittelschulvorbereitung jeder Type.
Alle Klassen. Matura. Pensionat.
28. Schuljahr.

Wien 1, Habsburgergasse, Blick zum Graben. Fotografie August Stauda, Wien, um 1900.

Im Palais Cavriani, einem prachtvollen Wohnhaus aus dem frühen 18. Jahrhundert (Nr. 5, rechts mit dem Säulenportal), befand sich die Maturaschule Vrtel, bei der Ödön im Sommer 1919 die Schulbildung abschloß.

Ein Inserat der Maturaschule Vrtel in «Lehmanns allgemeiner Wohnungs-Anzeiger [...] 1918». Wien, Hölder, 1918. Band 1, S.261.

Ödön von Horváth im Lehnsessel.
Fotografie, 1919.

In allen Ländern Mitteleuropas war die wirtschaftliche Lage am Ende des Krieges erschreckend; die Ernährung der Bevölkerung konnte kaum gesichert werden, es gab zumindest bis 1920 Hungersnöte und entsprechende Anfeindungen gegenüber Kriegsflüchtlingen und Ausländern. Der Gegensatz zwischen der Stadtbevölkerung und den auf dem Land wohnenden Menschen, die ihre Lebensmittelversorgung leichter bewältigten, war groß.

Die Familie Horváth verließ im Mai 1919 Ungarn; sie übersiedelte zuerst nach Wien und dann nach Bayern. Ödön blieb in Wien, um seine Schulbildung abzuschließen. Im Sommer 1919 bereitete er sich auf seine Matura vor. Zuerst wohnte er in einer Pension im 1. Bezirk in der repräsentativen Rathausstraße mit großen Häusern aus der Gründerzeit, dann bei seinem Onkel Josef Přchnal, wenige Minuten davon entfernt, in der einfacheren, älteren Piaristengasse im 8. Bezirk.

Wien 8, Lange Gasse. Blick von der Lerchenfelderstraße zur Florianigasse. Parallel verläuft die Piaristengasse, in der Horváth 1919 bei seinem
Onkel Josef Přehnal wohnte. Fotografie Ledermann, um 1900.

Im 8. Bezirk, der «Josefstadt», standen damals noch viele niedrige Bieder-
meierhäuser neben höheren Gebäuden aus dem späten 19. Jahrhundert.
Horváth wohnte hier auch im Frühjahr 1920 und im Jahr 1931, und zwar
in der nahen Lange Gasse 49. Eindrücke der frühen Aufenthalte finden sich
in manchen Erzählungen der «Sportmärchen» und vor allem im Theaterstück «Geschichten aus dem Wiener Wald» wieder.

Wien 8, Lange Gasse 29. Biedermeierhaus. Fotografie August Stauda, um
1900.

*Ich bin eine typisch altösterreichisch-ungarische Mischung: ma-
gyarisch, kroatisch, deutsch, tschechisch – mein Name ist magyarisch, meine Muttersprache ist deutsch. [...] Allerdings: der Begriff «Vaterland», nationalistisch gefälscht, ist mir fremd. Mein
Vaterland ist das Volk. [...]*

    *Meine Generation, die in der großen Zeit [während des Er-
sten Weltkriegs] die Stimme mutierte, kennt das alte Österreich-
Ungarn nur vom Hörensagen, jene Vorkriegsdoppelmonarchie,
mit ihren zweidutzend Nationen, mit borniertestem Lokalpatrio-*

tismus neben resignierter Selbstironie, mit ihrer uralten Kultur, ihren Analphabeten, ihrem absolutistischen Feudalismus, ihrer spießbürgerlichen Romantik, spanischen Etikette und gemütlicher Verkommenheit.

Meine Generation ist bekanntlich sehr mißtrauisch und bildet sich ein, keine Illusionen zu haben. Auf alle Fälle hat sie bedeutend weniger als diejenige, die uns herrlichen Zeiten entgegengeführt hat. Wir sind in der glücklichen Lage, glauben zu dürfen, illusionslos leben zu können. Und das dürfte vielleicht unsere einzige Illusion sein.

Ich weine dem alten Österreich-Ungarn keine Träne nach. Was morsch ist, soll zusammenbrechen, und wäre ich morsch, würde ich selbst zusammenbrechen, und ich glaube, ich würde mir keine Träne nachweinen.

[Horváth, Fiume, Belgrad, [...], 1929, kA 11, 184 f]

23

Im Herbst 1919 zog Ödön von Horváth nach München zu seinen Eltern, die in der Pension Doering, Ludwigstraße 17b, eine vorübergehende Bleibe gefunden hatten, und immatrikulierte an der Philosophischen Fakultät der Ludwig-Maximilians-Universität. Er gewann aus den Vorlesungen der ersten Studienjahre viele Anregungen für sein späteres literarisches Schaffen. So besuchte er die Vorlesung von Professor von der Leyen über «Das Märchen» und schrieb wenige Jahre darauf die «Sportmärchen». Bei Professor von Notthaft hörte er eine Vorlesung über «die Bekämpfung der Prostitution». Später floß seine Auseinandersetzung mit diesem brisanten Thema in die Posse «Rund um den Kongreß» ein. Die Vorlesungen und Seminare bei Professor Arthur Kutscher, einem langjährigen Freund von Frank Wedekind, machten Horváth mit der aktuellen Theaterszene vertraut. Viele später berühmte Theaterleute sammelten sich um diesen ungewöhnlichen Universitätslehrer: Bert Brecht, Ernst Toller, Klabund, Erwin Piscator, Marieluise Fleißer.

Unter dem Namen Ödön J. M. von Horváth schrieb er 1921 den Text zur Pantomime «Das Buch der Tänze». Sieben lyrische Episoden, «in Musik gesetzt von Siegfried Kallenberg». Horváth und Kallenberg wollten mit dieser «Tanzdichtung» eine «innigere Verschmelzung von Dichtung und Musik, die durch die tänzerische Darstellung zur Einheit erhoben werden sollte», erreichen. Die Pantomime «Das Buch der Tänze» wurde am 7. Februar 1922 im Steinickesaal in München, Adalbertstraße 15, konzertant aufgeführt. Es war dies der «Erste Literarisch-musikalische Abend der Kallenberg-Gesellschaft». Zugleich war es der erste Schritt Horváths vors Publikum. Das schmale, zweiundvierzig Seiten umfassende Bändchen «Buch der Tänze» erschien im Münchner Verlag El Schahin, Schellingstraße 15, der auf orientalische Literatur spezialisiert war, in einer numerierten, vom Dichter handsignierten Vorzugsausgabe von 500 Stück. Später distanzierte sich Horváth von seinem Erstlingswerk und kaufte mit Hilfe seines Vaters alle erreichbaren Exemplare auf, um sie zu vernichten.

Anfang der 1920er Jahre entstanden auch das unvollendet gebliebene Schauspiel über Dósa, den Anführer des ungarischen Bauernaufstandes von 1514, und das Schauspiel «Mord in der Mohrengasse». Einzelne Motive, Charaktere und Situationen daraus griff Horváth in späteren Stücken wieder auf.

CRONAUER Sie hatten doch sicher schon sehr früh die Absicht, unter die «Literaten» zu gehen?
HORVÁTH Ja – und auch nein. – Das kam nämlich ungefähr so: Ich besuchte 1920 in München die Universität und hatte, wie man so zu sagen pflegt, Interesse an der Kunst, hatte mich selber aber in keiner Weise noch irgendwie künstlerisch betätigt – nach außen

Abgabe in der **Quästur,** I. Stock bei Bezahlung des Honorars. Ein allenfalls erforderliches zweites Blatt ist in
Quästur erhältlich.

VERZEICHNIS

der von Herrn _Edmund Josef M. von Horváth_

stud. _phil._   geb. zu _Fiume_   Heimatsstaat: _Ungarn_   belegten Vorlesunge

Lfd. No.	Name der Dozenten in alphabetischer Reihenfolge	Bezeichnung der Vorlesungen	Zahl der wöchentlichen Stunden	Einbezahlter Honorarbetrag einschl. Dienergeld, Prakt.-Beitrag und Inst.-Gebühr	
1	Dr. Bäumler	Metaphysik	4	32	
2	Dr. Fischer	Ästhetik	4	32	
3	Dr. Gerathewohl	Rhetorisches Praktikum	1	8	
4	Dr. Gerathewohl	Übungen im Vortrag deutscher Dichtungen	1	8	
5	Dr. von Gizycki	Mittelhochdeutsche Übungen für Anfänger	2	16	
6	Dr. Kutscher	Das deutsche Drama unserer Zeit	1	8	
7	Dr. Kutscher	Praktische Übungen lit. Ges. über die neueste Dichtung	2	16	
.	Dr. von Nothhaft	Die Bekämpfung der Prostitution	1	10	
8	Dr. Wölfflin	Die Kunst der italien. Renaissance	4	32	50
				162	50
			100%	162	50
				325	

---

hin – innerlich, mit dem Gedanken schon, da sagte ich mir: Du
könntest doch eigentlich Schriftsteller werden, du gehst doch z. B.
gern ins Theater, hast bereits allerhand erlebt, du widersprichst
gern, fast dauernd, und dieser eigentümliche Drang, das was man
so sieht und erlebt und vor allem: was man sich einbildet, daß es
die Anderen erleben, niederzuschreiben, den hast du auch [...].
Ich sagte zu, setzte mich hin und schrieb die Pantomime. Die
wurde dann auch später aufgeführt. Die erste Kritik, die ich über
mein dichterisches Schaffen erhalten habe – ich glaube, daß Sie
die interessiert? –
CRONAUER Gewiß.
HORVÁTH Sie war nämlich vernichtend und begann mit folgenden Worten: «Es ist eine Schmach» und dergleichen. Aber ich
nahm mir das weiter nicht sehr zu Herzen.
CRONAUER Und widmeten sich dann ganz der Dichtkunst?
HORVÁTH Ah! – Ich versuchte es noch mit allerhand mehr oder
minder bürgerlichen Berufen – aber es wurde nie etwas Richtiges
daraus – anscheinend war ich doch zum Schriftsteller geboren.
[Interview Horváth / Cronauer, 1932, kA 11, 198 ff]

Inskriptionsformular Ödon von Horváths für das
Sommersemester 1921.
Ödon von Horváth war vom Wintersemester 1919/
1920 bis zum Wintersemester 1921/1922 an der
Ludwig-Maximilians-Universität in den Fächern
Theaterwissenschaft und Germanistik eingeschrie-
ben und belegte zudem verschiedene Vorlesungen
und Seminare in Kunstgeschichte und Psychologie.
1922 brach er das Studium ohne formellen Ab-
schluß ab. Die Belegbücher für das Wintersemester
1921/1922 sind während des Zweiten Weltkrieges
verbrannt.

A. Seitz, **Exlibris** für Ödön von Horváth, 1922. Druckgrafik.

Ödön von Horváth gab den Holzschnitt nach eigenen Entwürfen in Auftrag: hoch über den bayerischen Bergen schwebt ein Luftgeist, und der Tod spielt auf der Flöte.

«Erster Abend des Kallenberg-Vereins». Plakat für die Veranstaltung am 7. Februar 1922 im Münchner Steinicke-Saal, Adalbertstraße 15.

Loránd Macher, Horváths Schulfreund in Preßburg, erinnerte sich, daß sich der junge Dichter «von Lampenfieber geschüttelt in einer Ecke verkrochen» hatte. «Nur mit Mühe konnte man ihn bewegen, sich für den Höflichkeitsbeifall zu bedanken. Es war ein schwerer Beginn, der nicht viel Erfolg verhieß und den Vater einiges Geld kostete.»

[Krischke, Ödön von Horváth. Kind seiner Zeit, 37]

München, Martiusstraße 4. Fotografie, 1920er Jahre.
Von 1923 bis 1926 wohnten die Eltern Horváths im geräumigen ersten
Stock dieses Hauses, das sich in Schwabing in der Nähe des Englischen
Gartens befindet. Horváths waren damals Eigentümer des mehrstöckigen
Hauses. Ödön von Horváth bezog im Herbst 1923 ein Zimmer zur Unter-
miete in der Arcisstraße 50 in Schwabing.

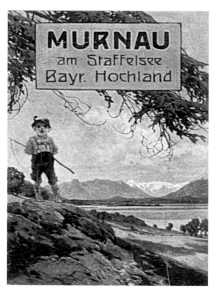

Ein Ausflug durch das bayerische Oberland führte den Ministerialrat Dr. Edmund von Horváth, seine Frau und die beiden Söhne Ödön und Lajos 1920 zufällig nach Murnau am Staffelsee, 70 km südlich von München entfernt. Das idyllische Murnau, das schon die Künstlergruppe des «Blauen Reiter» begeisterte und wo Wassily Kandinsky von 1909 bis 1914 gelebt hatte, gefiel auch den Horváths so gut, daß sie ein Jahr später in der Bahnhofstraße ein Grundstück kauften. Nach eigenen Ideen, die der Architekt Josef Adler ausarbeitete, ließen sie dort ein Landhaus errichten. Im Herbst 1924 war es bezugsfertig und diente neben der Münchner Wohnung in der Martiusstraße 4 als «Sommersitz».

1925 zählte der Marktflecken etwa 2900 Einwohner: überwiegend Handwerker, Geschäftsleute, Bauern und höhere Beamte. Diese kleine, überschaubare Welt war völlig anders strukturiert als das Vielvölkergemisch der österreichisch-ungarischen Monarchie, aus der Ödön von Horváth kam. Murnau wurde für ihn zwischen 1924 und 1933 zum Hauptwohnsitz. Die Gründe waren vielfältig. Die Moor- und Seenlandschaft rund um Murnau lud Sommer wie Winter zu Freizeitaktivitäten ein und lockte viele Sommergäste in den aufstrebenden Fremdenverkehrsort. Auch für Horváth und seine Freunde wurde Murnau Ausgangspunkt zahlreicher Bergtouren. Zudem bot das Landhaus der Eltern kostenloses Logis.

Horváth wollte Schriftsteller werden und war auf der Suche nach Stoffen und Motiven. In Murnau fand er die Leute, die ihn für seine Kleinbürgerstudien interessierten. Aus allernächster Nähe konnte er menschliche Charakterzüge und Verhaltensweisen der Schicht studieren, die den raschen Aufstieg des Nationalsozialismus begünstigte. In dieser kleinen Welt bekamen Inflation, Arbeitslosigkeit und der aufkommende politische Radikalismus ein persönliches Gesicht. In den zahlreichen Wirtschaften des Ortes, in Biergärten und Ausflugscafés saß er oft stundenlang, las Zeitung, trank sein Bier, hörte den Leuten zu und machte sich Notizen. Auch genoß er das Privileg, an den Stammtischen seiner Lieblingswirtschaften willkommen zu sein. Auf losen Zetteln, zwischen Adressen, Telefonnummern und privaten Aufzeichnungen finden sich Pläne, Titel, Konzepte, Dialogfetzen. Auf diese Anregungen wollte er keineswegs verzichten. Sie bildeten später das Rohmaterial für seine Volksstücke und Prosaschriften. Wenn es ihm anfangs auch schwer fallen mochte, den oberbayerischen Dialekt, der dort gesprochen wurde, in all seinen Nuancen zu verstehen, scheint Horváth doch rasch zu einem Spezialisten geworden zu sein. Sein genaues Hinhören und Unterscheiden zwischen den Sprachformen der «besseren» und der «einfachen» Leute im Ort befähigten ihn vorzüglich, mit den Mitteln der Sprache die Sozietät, das Bewußtsein, den Bildungsjargon, die geistige Welt der Menschen, die ihn so stark interessierten, darzustellen.

Murnau. Hauptstraße.

Prospekt für «Murnau am Staffelsee. Bayr. Hochland». 1910, Titelseite.
Auf S.15f werden die Eigenschaften der Gegend so gepriesen:
Der Sommerfrischler von heutzutage ist meist ein gar anspruchs-
volles Wesen. Er wünscht mit dem Sommeraufenthalt neben der
Erholung verbunden eine schöne Reise, am Platze eine schöne,
billige Wohnung, gute Verpflegung, angenehme Unterhaltung,
ozonreiche Luft, schattige Spazierwege, herrliche Umgebung,
heilkräftige Bäder; Kneipps Jünger wünschen sich große Gras-
flächen; Sportsmänner verlangen Gelegenheit zum Scheiben-
schießen und Fischen, Rudern, Schwimmen, Turnen, Veloziped-
fahren und Bergsteigen etc. etc. All dies bietet in recht reichem
Maße Murnau am Staffelsee.

Murnau, Hauptstraße, Ansichtskarte. Fotografie Anton Metzger, Murnau, 1930er Jahre.
Der Architekt und Baukünstler Emanuel von Seidl gestaltete ab 1906 mit
einigen Künstlerfreunden aus München die Fassaden dieser Marktstaße
mit dem Ziel, ein farbenfreudiges, harmonisches und behagliches Markt-
bild zu schaffen. Sie bemalten die Häuser mit bunten Farben und mit sinn-
bildlichen Wahrzeichen der darin ausgeübten Gewerbe, so daß man wie
durch ein aufgeschlagenes farbiges Bilderbuch hindurch wandelte.

Ödön von Horváth in Murnau vor einem Bauernhof. Fotografie, 1923. Der Hof befand sich ganz in der Nähe der Kirche St. Nikolaus und wurde mittlerweile abgerissen.
Ödön von Horváth in Murnau. Fotografie, 1920er Jahre.

Ich bin kein Satiriker, meine Herrschaften, ich habe kein anderes Ziel, als wie dies: Demaskierung des Bewußtseins.

Keine Demaskierung eines Menschen, einer Stadt – – das wäre ja furchtbar billig! Keine Demaskierung auch des Süddeutschen natürlich – – ich schreibe ja auch nur deshalb süddeutsch, weil ich anders nicht schreiben kann.

[Horváth, Gebrauchsanweisung, 1932, kA 11, 216]

Das Landhaus der Horváths in Murnau. Fotografie, um 1925.

Dr. Edmund von Horváth, Ministerialrat im diplomatischen Dienst, erwarb das Grundstück 1921 für 50.000,- Reichsmark. Das Architekturbüro Josef Adler, München, fertigte zur Bebauung des Grundstückes zwei Baupläne an. Realisiert wurde der Entwurf vom 1. Februar 1924. Mit dem Bau unter der Aufsicht von Gabriel Reiser, einem ortsansässigen Bauunternehmer, wurde am 7. März 1924 begonnen. Das Gebäude war noch im selben Jahr bezugsfertig; es blieb bis 1934 im Besitz der Familie Horváth und wurde 1973 abgerissen.

Das Landhaus in der Bahnhofstraße 76a, zwischen 1929 und 1945 umbenannt in Hindenburgstraße, hatte im Erdgeschoß Wohnzimmer, Arbeitszimmer, Eßzimmer und Küche und im ersten Stockwerk ein Eltern-schlafzimmer, Zimmer für die beiden Söhne, für die Großmutter und für deren Sohn, den «Onkel Pepi», der sich regelmäßig in Murnau aufhielt. Horváths Großmutter Maria Přehnal und sein Onkel Josef Přehnal sind auf dem Murnauer Friedhof beerdigt.

Im Dachgiebel des Landhauses war das Familienwappen als Relief abgebildet.

Edmund, Ödön, Marie und Lajos von Horváth vor dem Haus in Murnau. Fotografie, um 1925.

Auch Horváths Bruder Lajos, Maler, Karikaturist und Illustrator, hielt sich seit 1924 fast das ganze Jahr über im Landhaus in Murnau auf. Nachdem die Nationalsozialisten der Familie das weitere Leben in Murnau unmöglich gemacht hatten, verkaufte sie das Haus 1934 und kehrte nach München zurück.

Lajos von Horváth begann seine künstlerische Laufbahn als Autodidakt und arbeitete für die Münchner Zeitschriften ‹Jugend› und ‹Simplicissimus›. Im Zweiten Weltkrieg mußte er in der ungarischen Armee dienen und am Rußlandfeldzug teilnehmen. Die Münchner Wohnung der Horváths wurde in den Bombennächten 1944 völlig zerstört. Zusammen mit den Eltern zog Lajos aus München nach Wien, wo er 1968 starb.

Gustl Schneider-Emhardt [Auguste von Horváth] (1903–1997), eine Jugendfreundin Ödöns und die erste Frau Lajos'. Fotografie, 1921.

Die Eltern Emhardt bauten fast zur gleichen Zeit wie die Horváths in Murnau am Maria-Antonienweg ein Haus. Die beiden Familien waren seit 1913 befreundet. So blieben die Kinder der Emhardts – Gustl, Christian und Heiner – mit Ödön und Lajos von Horváth auch in Murnau ständig zusammen. Später gesellten sich der Schriftsteller Wolf Justin Hartmann (1894–1968) und Hans Geiringer, ein Mitarbeiter von Vater Horváth, zu dieser unternehmungslustigen Gruppe.

Die Eltern Edmund und Marie von Horváth, die Großmutter Maria Přehnal und der Onkel Josef Přehnal vor dem Landhaus in Murnau. Fotografie, um 1925.

Der Onkel und Taufpate Ödön von Horváths, Josef Přehnal (1875–1929), Inspektor der Österreichischen Nationalbank, k.u.k. Leutnant der Reserve, verbrachte jährlich mehrere Monate im Murnauer Haus. Ihm widmete Ödön von Horváth die Erzählung «Mein Onkel Pepi» über dessen papierene Liebschaften – ein Text, der zu Lebzeiten Horváths nicht veröffentlicht wurde. Přehnal war im Leben des kleinen Ortes fest integriert. Bei seinem Tod am 31. August 1929 trauerte der ganze Markt. Im Nachruf des ‹Staffelsee-Boten› heißt es: «Von Herrn Inspektor Přehnal, dem guten ‹Onkel Pepi›, der hier doch nur wenige Jahre ansässig war, wird noch viele Jahre in höchster Wertschätzung gesprochen werden, seine Persönlichkeit bleibt unvergeßlich.»

Großmutter Maria Přehnal (1851–1938). Fotografie, um 1925.

Die Großmutter Ödön von Horváths mütterlicherseits, Maria Přehnal, geb. Querfeld, k.u.k. Oberstabsarztwitwe, lebte viele Monate des Jahres über im Murnauer Haus. Sie starb am 30. August 1938, als die Horváths Murnau längst verlassen hatten, ist aber dennoch auf dem Friedhof in Murnau neben ihrem Sohn Josef Přehnal begraben.

Einladung zu einem «Hausball» im Strand-Hotel, Zeitungsausschnitt.
Der Pächter Heinz Reichhard wird in Horváths handschriftlichem Konzept zu «Nach der Saison» namentlich erwähnt und weist in vielerlei Hinsicht Ähnlichkeiten mit der Figur des Strasser in «Zur schönen Aussicht» auf. Reichhard bewirtschaftete kurz hintereinander mehrere Gaststätten in Murnau, u. a. das Café Almrose und die Seerose. Seine Stammgäste folgten ihm treu.

Häufig bekam Ödön von Horváth Besuch von Freunden aus München. Mit der Bahn war Murnau in gut eineinhalb Stunden bequem zu erreichen. Das Strand-Hotel und das Strand-Café, direkt am Staffelsee in der Murnauer Bucht gelegen, entwickelten sich zu gesellschaftlichen Treffpunkten. Es gab Künstler-Konzerte und im Fasching einfallsreiche Maskenbälle. Wenn der Staffelsee zugefroren war, trafen sich Horváth und seine Freunde zum Eisstockschießen, Schlittschuhlaufen und zu den regelmäßig stattfindenden Eisrennen. Im Sommer waren Ödön und Lajos von Horváth im Strandbad anzutreffen und am Abend tranken sie in einem der Biergärten ihr Bier.

Zum Freundeskreis aus München zählten Gustl Schneider-Emhardt, ihr Bruder Heiner, Hans Geiringer, seine Schwester Marianne, Wolf Justin Hartmann, Klaus und Erika Mann. Das ländliche Leben in der «erholsamen Stille» zog sie magisch an. Ihre modische Kleidung und ihr bohemienhaftes Auftreten fielen im bäuerlich strukturierten Murnau sofort auf. Auch in Berlin gewann Ödön von Horváth Freunde, die ihn in Murnau öfter besuchten. Unter ihnen waren der Regisseur Francesco von Mendelssohn und der Regisseur und Schauspieler Gustaf Gründgens. Im Gasthof zur Post reagierten die Murnauer schockiert, als sich Gründgens auf den Schoß seines Freundes Francesco setzte.

Doch Horváth hatte auch einige Murnauer Freundinnen und Freunde, wie etwa Ludwig Mooser, Käthe Leitner, Walter Specht-Fey und Maria Biller. Sie hielten dem Autor auch in schwierigen Zeiten die Treue, als sich viele Murnauer im Zuge des aufkommenden Nationalsozialismus von ihm distanzierten.

Zunächst genoß die Diplomatenfamilie Horváth in Murnau hohes Ansehen. Sie war in das Kleinstadtleben integriert, auch wenn man nicht so genau wußte, wovon die erwachsenen Söhne eigentlich lebten, und auch wenn sich ihr Lebensstil grundsätzlich von dem der einheimischen Bevölkerung unterschied. Vom Gartenzaun aus konnten es die Murnauer sehen: Die Horváths waren «bessere Leute». Bedienstete mit Spitzenhäubchen servierten auf der Terrasse des «Herrn Baron» den Gästen das Essen.

Viele Stücke und Prosaskizzen Horváths wurzeln in Beobachtungen, Erlebnissen und Notizen während seiner Murnauer Jahre. Dort und daraus entstanden mehr oder weniger im Verborgenen seine berühmten Volksstücke «Italienische Nacht» (1930), «Geschichten aus dem Wiener Wald» (1931), «Kasimir und Karoline» (1932), «Glaube Liebe Hoffnung» (1933).

Manchmal sind die Bezüge zu Murnauer Vorkommnissen, Lokalitäten und markanten Persönlichkeiten gar nicht zu übersehen, wie etwa in der Komödie «Zur schönen Aussicht» (1927), in dem Volksstück «Italienische Nacht» (1930) und in dem Roman «Jugend ohne Gott» (1937).

Fasching 1926.

«Fasching 1926» im Strand-Hotel Murnau. Vorne links: Ödön von Horváth als Matrose. Aus einem Album aus dem Besitz von Käthe Emhardt. Fotografie, 1926.

Im Winter gab es im Strandhotel immer rauschende Karnevals-feste, und unsere ganze Clique verkleidete sich jeweils nach einem bestimmten Motto. Einmal waren alle Männer als kleine Buben in Matrosenanzügen [...].

[Gustl Schneider-Emhardt, in: Horváth Blätter 1, 71]

Er sagte von sich: «Wenn sie mir einen Matrosenanzug mit kurzen Hosen und einer Matrosenmütze anziehen, dann schau ich aus wie ein rausgefressener Konfirmand in einer Riesenfamilie.»

Das war Ödön. Das war skurril, und es stimmte.

Er hatte ein dickes, breites Kindergesicht mit großen brau-nen, ängstlichen Augen. Ängstlich? Nein, eigentlich mit erstaun-ten Augen, erstaunt über die Menschen und über sich selbst.

[Luise Ullrich, Komm auf die Schaukel, Luise, 66 f]

Kurhaus u. Stahlbad Staffelsee.

Murnau, Kurhaus, später Strand-Hotel. Ansichtskarte, Fotografie um 1904.

Manche der Hotelangestellten und einige Gäste dienten als Vorbilder für die Komödie «Zur schönen Aussicht». Es gab dort einen Kellner wie Max, den die Gäste «immer wieder in seine Schranken verweisen» mußten: er «servierte immer in Socken; seine Schuhe standen dann mitten im Lokal», berichtete Lajos von Horváth im Gespräch mit Traugott Krischke.

[Horváth, Zur schönen Aussicht, kA 1, 291]

Seine Liebe zu den kleinen Lokalen offenbarte sich auch einmal in einer recht seltsamen Weise. Es war im Fasching in München: Dienstbotenball im Deutschen Theater. Adrette, niedliche Kammerzöfchen, elegante Köche, geschniegelte Kammerdiener, blitzsaubere Wäschermadl füllten die Räume. Da erschien ein verschmierter, unrasierter Mann mit einer schmutzigen Portiermütze auf dem Kopf: Ödön von Horváth (der sonst so peinlich saubere), als Nachtportier eines obskuren Vorstadthotels. Der Erfolg bei seinen Freunden war natürlich groß – weniger allerdings bei den niedlichen Kammerkätzchen, er sah zu echt aus!

[Hans Geiringer, in: Materialien zu Ödön von Horváth, 107]

Ein Maskenball in Murnau, 1927. Fotografie.

Die Personen (im Uhrzeigersinn von oben links beginnend) zählten zum engsten Freundeskreis:

Lajos von Horváth, Ödön von Horváth, Marianne Geiringer, Georg Schröttle (Eishockeystar beim SC Rießersee, dem deutschen Eishockeymeister von 1927), Gustl Emhardt, unbekannt, Dünzel (Maler und Sportjournalist in München), Hans «Hanselach» Geiringer (Freund Horváths und Bruder von Marianne).

Horváth mit Freunden im Murnauer Strandbad. Undatierte Fotografie.
V.l.n.r. vorne: B. Kressulot, Christian Emhardt, «Onkel Pepi»,
Mitte: Frau von Glatzkin, Felizia Seyd, B. Kressulots Schwiegertochter,
Lajos von Horváth,
hinten: Ödön von Horváth mit Frau von Glatzkins Sohn, B. Kressulots
Sohn.

*Damals gab es in Murnau noch streng getrennt ein Männer- und
Frauenbad, und es war ein herrlicher Spaß, wenn die Brüder
Horváth sich mit Damenmützen und Bademänteln hüftewiegend
ins Frauenbad schlichen, nur an ihren großen Füßen erkennbar,
bis sie von der resoluten Badefrau Roserl erkannt und hinausge-
schmissen wurden.*
[Gustl Schneider-Emhardt, in: Horváth Blätter 1, 68]

Murnau, die Terrasse des Strand-Cafés. Fotografie, 1930er Jahre.
Das Strand-Café am Staffelsee lag ganz in der Nähe des Strand-Hotels
direkt am Seeufer. Sommer wie Winter war Ödön von Horváth ein gern und
oft gesehener Stammgast.

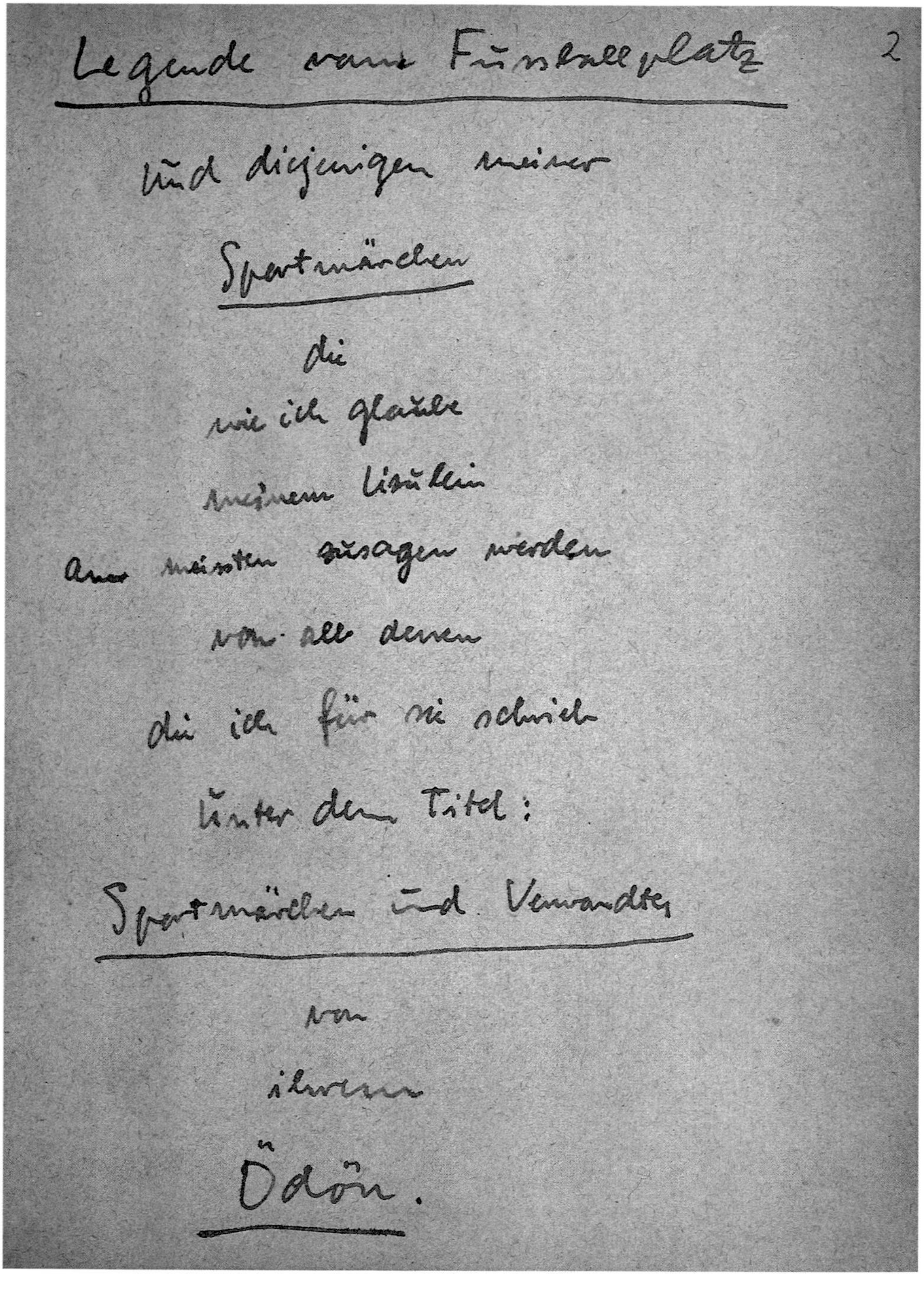

Legende vom Fußballplatz   2

und diejenigen meiner

Sportmärchen

die
wie ich glaube
meinem Lisülein
am meisten zusagen werden
von all denen
die ich für sie schrieb
unter dem Titel:

Sportmärchen und Verwandtes

von

ihrem

Ödön.

Ödön von Horváth: **«Sportmärchen»**. Album, Handschrift. Titelseite
(fol 2).

Ödön von Horváth widmete seiner damaligen Freundin Felizia «Lizzy» Seyd ein Poesiealbum mit «Sportmärchen», die er 1924 in Murnau schrieb und zum Teil in der Münchner Zeitschrift ‹Simplicissimus› veröffentlichte.

Nach einer längeren Paris-Reise kam Horváth Ende 1924 nach Berlin und suchte auch dort nach Veröffentlichungsmöglichkeiten für seine Texte. Drei seiner «Sportmärchen» wurden im November 1924 in der ‹Berliner Zeitung am Mittag› abgedruckt. Ende 1926 erschienen in der ‹Berliner Volkszeitung› kurz hintereinander drei weitere «Sportmärchen». Insgesamt entstanden im Laufe von sechs Jahren rund dreißig solcher Geschichten.

Der Sport kam in den zwanziger Jahren in Mode und ergriff die breite Bevölkerung. Zum erstenmal begannen Schriftsteller, Maler, Bildhauer, den Sport zum Gegenstand ihrer Werke zu machen. Sport repräsentierte das moderne Lebensgefühl. Horváth beschäftigte sich weniger mit dem Sport als individuellem Körper- oder Naturerlebnis, denn als gesellschaftlichem Phänomen der Manipulation und der Normierung. Seine kurzen, pointierten Prosaskizzen kombinieren Motive aus der Welt des Sports mit Märchen und Mythen. Sportliche Disziplinen wie Klettern, Fußballspielen, Ringen, Boxen, Schifahren und Rennradfahren werden zu Personen aus Fleisch und Blut. Über das Phänomen des Sportzuschauers hellte Horváth die geistlose Körperlichkeit dieser neuen Massenbewegung auf.

Wie bei seinen Kleinbürgerstudien beobachtete er den Sport an Originalschauplätzen; häufig besuchte er Ringkämpfe, Boxkämpfe und Fußballspiele. Auch war er selbst ein begeisterter Bergsteiger, Tourengeher und Schwimmer. Schon als Siebzehnjähriger war er dem «Deutschen und Österreichischen Alpenverein» beigetreten. Murnau wurde zum Ausgangspunkt für Bergtouren ins Wettersteingebirge mit Zugspitze und Alpspitze. Horváth zeigte dabei einen «sechsten Sinn» für das Wetter und rettete seinen Freunden mit seinem besonderen Gespür für die rasch wechselnde Witterung mindestens einmal das Leben. Mehrere «Sportmärchen» beschäftigen sich mit Kletterern, großen und kleinen Bergen, Mauerhaken, Eispickel und mit Bergsteigern, die «in gar arger Weise ihre Ausrüstung» vernachlässigen. Auf seinen häufigen Bergtouren fand Ödön von Horváth einmal ein Skelett, entnahm dem halbverfaulten Rucksack und der Jacke Papiere und Gegenstände, um den Toten zu identifizieren, und brachte alles ins Tal auf die Polizeistation. Später porträtierte er diesen «ungeübten Bergsteiger» im Sportmärchen «Begegnung in der Wand».

Das «Sportmärchen» vom Bergsteiger, der seine Ausrüstung vernachlässigt, nimmt eine überraschende Wendung, durch die dieser der Verschwörung seiner Ausrüstung entgeht.

Felizia Seyd und Ödön von Horváth in Murnau. Fotografie, 1924.

Felizia Seyd (1900–1992) schrieb über ihre Freundschaft zu Ödön von Horváth:

Ödöns und meine Beziehung war zauberhaft (im Anfang), aber vielleicht allzu typisch für junge Menschen. Wir waren mehr an uns selbst interessiert als aneinander. Ich war älter und in mancher Beziehung blasierter, auch politisch gesehen, was uns langsam auseinanderbrachte. [...] Was wir gemeinsam hatten, war unsere Liebe für Lyrik und Märchen und ‹all things phantastic›, und grüne Wiesen und die Natur, aber Einfluß auf den späteren Ödön als Schriftsteller und Dramatiker hatte ich nicht.

[Felizia Seyd, in: Horváth Blätter 2, 69]

Es war einmal ein Bergsteiger, der vernachlässigte in gar arger Weise seine Ausrüstung. Das ließ sich diese aber nicht länger mehr gefallen und trat zusammen zur Beratung.

Die Nagelschuhe fletschten grimmig die Zähne und forderten, da er sie ständig fettlos ernähre, seinen sofortigen Tod. Darin wurden sie vom Seil unterstützt. Die Kletterschuhe zeigten ihre offenen Wunden dem Rucksack, der noch etwas ungläubig tat, da er erst gestern aus dem Laden gekommen war, und erzählten ihm erbebend den jeglicher Zivilisation hohnsprechenden Martertod seines Vorgängers. Der Eispickel bohrte sich gehaltvoll bedächtig in den Boden und sprach: «Es muß anders werden!» Und die Windjacke kreischte empört: «Er zieht mich sogar in der Stadt an!»

Endlich ward man sich einig über seinen Tod bei der nächsten Tour:

Die Windjacke sollte sich zuhause verstecken um überhaupt nicht dabei zu sein. Zuerst müßten dann die Nagelschuhe, vornehmlich mit ihren besonders spitzen Absatzzähnen, seine Fersen und Sohlen blutig beißen. Später in der Wand wird ihn der Rucksack aus dem Gleichgewicht bringen, wobei sich die Kletterschuhe aalglatt zu benehmen haben – – – und sogleich wird der Pickel in seine Gedärme dringen und das Seil ihn mit einer Schlinge erwürgen.

Jedoch zu selbiger Zeit glitt der Bergsteiger auf der Straße über eine Apfelsinenschale und brach sich das Bein. Und – – – er würde sicher nicht mehr fluchen, daß er nun nie mehr in die Berge kann, wüßte er von der Beratung.

[Horváth, Sportmärchen. Die Beratung, 1924, kA 11, 73 f]

Wenn ich antworten soll, warum ich nun nach Berlin übersiedelt bin und warum ich der stillen Einfalt des ländlichen Lebens den Rücken gekehrt habe, so muss ich zuallererst mal nachdenken, um die Antwort richtig formulieren zu können. Denn das ist sehr schwer.

Wohl könnte ich im Augenblick sehr viel darauf antworten, wie: Sehnsucht nach Betrieb, nach dem Herz des Landes, die Stadt ist das Kulturzentrum,

(Ich liess zu Fleiss das Kapitel der Existenzfrage aus. Darüber muss man wohl nicht debattieren)

Aber das alles erschöpft es nicht richtig.

Das Problem liegt tiefer: auf dem Lande besteht die Gefahr des «Romantisch-werden»

[Horváth, aus dem Komplex [«Unlängst traf ich einen Bekannten ...»], ÖLA, Nachlaß 3/90, BS 64k[1.4.8]; Abbildung in: Krischke / Prokop 1977, 76, vgl. kA 11, 189 ff]

Ödön von Horváth in den Bergen. Fotografie, 1920er Jahre.
Der Boxer Ludwig Haller vor dem Denkmal für König Ludwig II. in
Murnau. Fotografie, 1920er Jahre.

Horváth kannte den Murnauer Metzger und Boxer Ludwig Haller von seinen Wirtshausbesuchen. Im August 1924 wurde über Nacht ein Bronze-
löwe vor dem Standbild des König-Ludwigs-Denkmals in Murnau vom
Sockel gehoben. Als Anstifter galt Ödön von Horváth, als Täter kam der gut
durchtrainierte Haller in Frage. Ihm wurde Straffreiheit garantiert, wenn
er den Löwen wieder auf den Sockel hieve, was dann auch geschah.

«**Boxkampf in der ‹Neuen Welt›**», Berlin. Fotografie Laszlo Willinger, 2. Hälfte 1920er Jahre, aus: Laszlo Willinger: 100 x Berlin. Berlin, 1929; Nachdruck: Gebr. Mann Verlag, Berlin, 1997, 45.

Zum ersten Mal wurde der Sport in den 1920er Jahren ins gesellschaftliche Leben einbezogen, wo bisher allenfalls Künstler mit ihren Extravaganzen zugelassen waren.

Wera Liessem berichtete über einen eleganten Abend in Berlin, wo sich Horváth nicht genierte, begeistert von den Qualitäten des Boxsports zu sprechen; er genoß die Provokation des Themas. Damit glich er seinem Freund Francesco von Mendelssohn, der Diplomaten mit Radfahrern, die direkt aus dem Sechstagerennen kamen, in seinem Salon konfrontierte.

Kennen lernte ich Horváth in Berlin, in einer Gesellschaft, in der es sehr offiziell und intellektuell zuging. Er erzählte ganz unbefangen, aber sehr bewußt, in diese hölzernen Gespräche hinein vom Boxen und diesem herrlichen Sport – den er wahnsinnig komisch fand. Er liebte dabei die Volksseele zu beobachten. Das sinnlose Geschrei, die fanatisierte Massenseele belustigte ihn, weil er diese vollkommene Auflösung des Menschen in eine johlende, nur noch kreatürliche Ekstase bezeichnend für die Endsituation jeder Individualität hielt.

[Wera Liessem, in: Materialien zu Ödön von Horváth, 82]

Ödön von Horváth gefiel es in der ländlichen Idylle so gut, daß er im April 1927 bei der Marktgemeinde Murnau einen Antrag auf Einbürgerung stellte. Er wollte bayerischer Staatsangehöriger werden; das war zugleich die einzige Möglichkeit, deutscher Staatsbürger zu werden.

In einem Notizbuch hielt er fest:

Meine Kindheit verbrachte ich in Belgrad, Budapest, Wien, München und Pressburg – mein Vater war an der österr. ung Gesandtschaft tätig, daher dieser Wandertrieb. Daher kommt es auch, daß ich keine Heimat habe – nur eine Wahlheimat. Bayern.

[Horváth, Autobiographische Notizen, Nachlaß BS, 64d, ee]

Viermal hatte er während seiner Schulzeit die Unterrichtssprache gewechselt und fast jede Klasse in einer anderen Stadt verbracht. Jetzt hatte er einen Ort gefunden, wo er nicht nur gerne bleiben, sondern auch dazugehören wollte. Der Antrag wurde von den Murnauer Gemeinderäten mit einer knappen Mehrheit von 7 zu 6 Stimmen abgelehnt mit der Begründung, «daß nicht nachgewiesen ist, ob sich der Gesuchsteller dauernd zu ernähren imstande ist». Doch Ödön von Horváth gab nicht auf. Er stellte den Antrag erneut bei der Regierung von Oberbayern und erhielt Ende Mai 1928 nochmals einen Bescheid, daß ihm «die Einbürgerung in Bayern nicht in Aussicht gestellt werden kann.»

Ödön von Horváth im Gebirge.
Fotografie, 1920er Jahre.

Diese verschmähte Liebe mag der Grund dafür gewesen sein, daß sich Horváth ein Jahr später in der Zeitschrift «Der Querschnitt» von Nationalismus und Vaterlandsliebe distanzierte und seine Heimatlosigkeit besonders herausstrich: Er fühle sich dem «deutschen Kulturkreis» und dem «deutschen Volke» zugehörig; die deutsche Sprache sei seine Muttersprache. Sie wurde ihm zur geistigen Heimat.

In der Prosaskizze «Ein sonderbares Schützenfest» von 1929 erklärte er einem «nationalistisch gefälschten» Vaterlandsbegriff eine klare Absage, würdigte jedoch gleichzeitig die herausragenden Leistungen der deutschen Kulturnation. Er kam zum Schluß:

[...] mir, als sogenanntem Auslandsdeutschen, als von den garantiert echten Vaterländischen unter der Rubrik «Internationalist» Geführtem, mir wurd es übel, Zeuge dieser entarteten Heimatliebe zu sein.

[Horváth, Ein sonderbares Schützenfest, 1929, kA 11, 137]

[...] immer wieder lese ich in Artikeln, daß ich ein ungarischer Schriftsteller bin. Das ist natürlich grundfalsch. Ich habe noch nie in meinem Leben – außer in der Schule – irgendetwas ungarisch geschrieben, sondern immer nur deutsch. Ich bin also ein deutscher Schriftsteller.

[Interview Horváth / Cronauer, 1932, kA 11, 197]

§ 13 ff. der Min.-Bek. v. 3. März 1916, MABl 1916 S. 24.

M III/1793

Gesuch um Einbürgerung.

Murnau, den _7. April_ 192 _7_

I. Vor der unterfertigten Gemeindebehörde erscheint

Herr _Edmund Josef von Horvath_ ,
(Vor- und Zuname, sämtliche Vornamen aufführen, Rufnamen unterstreichen)

Glaubensbekenntnis: _röm. kath._ , Familienstand: _ledig_ ,

Beruf (auch frühere Berufe): _Schriftsteller_

geboren am _9. Dezember_ 1901 zu _Fiume_

Bezirk: _Fiume_ , Land: _Italien_

zuständig nach _Budapest - Ungarn_ ,

in hiesiger Gemeinde wohnhaft seit _1923_

derzeitige Wohnung: _Bahnhof_ -Straße, Hs.-Nr. _70?_

und erklärt: Ich stelle das Gesuch um **Verleihung der bayerischen Staatsangehörigkeit** gegen Bezahlung der gesetzlichen Einbürgerungsgebühr und mache über meine persönlichen Verhältnisse nachstehende Angaben:

bisherige Staatsangehörigkeit: _Ungarn_
(auch frühere)

Nationalität: _Ungar_
(Pole, Tscheche, Ruthene, usw.)

Tag und Ort der Eheschließung: _/._

Militärverhältnis { im Heimatstaate: _____
                   { im Inland: _/._

Aufenthaltsorte seit meiner Geburt: _Fiume, Belgrad, Budapest, Bra-_
tislava (Pressburg), Wien, München, Berlin,
Bad Reichenhall, Murnau.

Personalien meiner Eltern:

	Des Vaters:	Der Mutter:
Name:	_Dr. Edmund_ _v. Horvath_	_Maria v. Horvath_ _geb. Prehnal_
Wohn- oder Aufenthaltsort:	_München_	_Murnau_
Sterbeort:	_/._	_/._
Glaubensbekenntnis:	_röm. kath._	_röm. kath._
Staatsangehörigkeit:	_Ungarn_	_Ungarn_
Nationalität:	_Ungarn_	_deutsch_

Nr. 12 b. Berlag von J. Maiß, München, Herrnstraße 8.

44

Horváths «**Gesuch um Einbürgerung**» **als bayerischer Staatsbürger,** beantragt in Murnau am 7. April 1927. Seite 1 von 8.

Die Fragen, die im «Gesuch um Einbürgerung» zu beantworten waren und die zusätzlichen Auskünfte, die von verschiedenen Stellen angefordert wurden, zeigen eine penible und vorsichtige Taktik der Behörde. Der Wohlstand der Eltern konnte nicht die Unsicherheit seiner Einkünfte, der gute Ruf der Familie nicht die ausländische Herkunft kompensieren.

Murnau. Schützen marschieren in der Hauptstraße.

Fotografie, 1930er Jahre.

In der Prosaskizze «Ein sonderbares Schützenfest» thematisierte Horváth den Festumzug anläßlich des 120. Historischen Graf Arco-Schießens im August 1929. Mit diesem Schießen erinnern die Murnauer bis heute an die Befreiung des Ortes von den Tirolern 1809 durch Maximilian Graf von Arco (1777–1809). Die klar artikulierte Kritik an einer lokalpatriotischen ländlichen Tradition trug Horváth den Ruf eines «Edelkommunisten» ein.

Durch die Hauptstraße zogen Schützen, viele Schützen, lauter Schützen. Ein Schützenzug. Im gleichen Schritt und Tritt. Fürbaß. Mit wallenden Bärten und Gamsbärten, Gewehren und Bowiemessern, Standarten und heroischen Wunschträumen. Meist waren es bereits in Lederhosen Geborene, aber es waren auch welche dabei aus Ingolstadt, Köln, Jena und Berlin.

[Horváth, Ein sonderbares Schützenfest, 1929, kA 11, 135]

Fiume, Belgrad, Budapest, Preßburg, Wien, München…

Von *Ödön Horváth.* *)

Sie fragen mich nach meiner Heimat, ich antworte: ich wurde in Fiume geboren, bin in Belgrad, Budapest, Preßburg, Wien und München aufgewachsen und habe einen ungarischen Paß — aber: „Heimat"? Kenn' ich nicht. Ich bin eine typisch altösterreichisch-ungarische Mischung: magyarisch, kroatisch, deutsch, tschechisch — mein Name ist magyarisch, meine Muttersprache ist deutsch. Ich spreche weitaus am besten Deutsch, schreibe nunmehr nur Deutsch, gehöre also dem deutschen Kulturkreis an, dem deutschen Volke. Allerdings: der Begriff „Vaterland", nationalistisch gefälscht, ist mir fremd. Mein Vaterland ist das Volk.

Horváth

Also, wie gesagt: ich habe keine Heimat und leide natürlich nicht darunter, sondern freue mich meiner Heimatlosigkeit, denn sie befreit mich von einer unnötigen Sentimentalität. Ich kenne aber freilich Landschaften, Städte und Zimmer, wo ich mich zu Hause fühle, ich habe auch Kindheitserinnerungen und liebe sie, wie jeder andere. Die guten und die bösen. Ich sehe die Straßen und Plätze in den verschiedenen Städten, auf denen ich gespielt habe, oder über die ich zur Schule ging, ich erkenne die Eisenbahn wieder, die Rodelhügel, die Wälder, die Kirchen, in denen man mich zwang, den heiligen Leib des Herrn zu empfangen — ich erinnere mich auch noch meiner ersten Liebe: das war während des Weltkrieges in einem stillen Gäßchen, da holte mich in Budapest eine Frau in ihre Vierzimmerwohnung, es dämmerte bereits, die Frau war keine Prostituierte, aber ihr Mann stand im Feld, ich glaube in Galizien, und sie wollte mal wieder geliebt werden.

Meine Generation, die in der großen Zeit die Stimme mutierte, kennt das alte Oesterreich-Ungarn nur vom Hörensagen, jene Vorkriegsdoppelmonarchie, mit ihren zweidutzend Nationen, mit borniertestem Lokalpatriotismus neben resignierter Selbstironie, mit ihrer uralten Kultur, ihren Analphabeten, ihrem absolutistischen Feudalismus, ihrer spießbürgerlichen Romantik, spanischer Etikette und gemütlicher Verkommenheit.

Meine Generation ist bekanntlich sehr mißtrauisch und bildet sich ein, keine Illusionen zu haben. Auf alle Fälle hat sie bedeutend weniger als diejenige, die uns herrlichen Zeiten entgegengeführt hat. Wir sind in der glücklichen Lage, glauben zu dürfen, illusionslos leben zu können. Und das dürfte vielleicht unsere einzige Illusion sein. Ich weine dem alten Oesterreich-Ungarn keine Träne nach. Was morsch ist, soll zusammenbrechen, und wäre ich

---

*) Der 27jährige Dichter ist der Autor des Volksstückes „Die Bergbahn", das seine erfolgreiche Uraufführung an der Berliner Volksbühne erlebte.

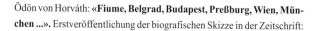

Ödön von Horváth: «**Fiume, Belgrad, Budapest, Preßburg, Wien, München …**». Erstveröffentlichung der biografischen Skizze in der Zeitschrift:

morsch, würde ich selbst zusammenbrechen, und ich glaube, ich würde mir gar keine Träne nachweinen.

Manchmal ist es mir, als wäre alles aus meinem Gedächtnis ausradiert, was ich vor dem Kriege sah. Mein Leben beginnt mit der Kriegserklärung. Und es widerfuhr mir das große Glück, erkennen zu dürfen, daß die Ausrottung der nationalistischen Verbrechen nur durch die völlige Umschichtung der Gesellschaft ermöglicht werden wird. Das ist mein Glaube. Lächeln Sie nicht! Dadurch, daß eine Erkenntnis oft als Schlagwort formuliert wird, verliert sie nichts von ihrer Wahrheit. Worauf es ankommt, ist die Bekämpfung des Nationalismus zum Besten der Menschheit.

Ich glaube, es ist mir gelungen, durch meine „Bergbahn" den Beweis zu erbringen, daß auch ein nicht „Bodenständiger", nicht „Völkischer", eine heimatlose Rassenmischung, etwas „Bodenständig-Völkisches" schaffen kann, — denn das Herz der Völker schlägt im gleichen Takt, es gibt ja nur Dialekte als Grenzen.

Vortrag Thomas Mann. Dichtgefüllter, erwartungsfreudiger Saal. Mit kurzen rhythmischen Schritten erobert sich Thomas Mann die Herrscherstellung am Pult. In seinem Gang liegt schon die Gewähr, daß er jeden königlich beschenken wird. Klar und prägnant, in wundervollster Linienführung entwickelt sich die Lebensfuge Theodor Fontanes. Dann kommt die Sonnengabe: Thomas Mann liest ein Kapitel aus seinem biblischen Roman. Neben mir macht ein Dicker sorgfältig Aufzeichnungen. Ich schließe die Augen. Die Sonne blendet mich. Und auch das Lächeln der Rahel, das sie zum ersten Male dem Jakob offenbart. Riesenkräfte gibt ihm ihr lieblicher Blick. Er wälzt den schweren Stein von der Oeffnung des Brunnens, damit ihre durstigen Schafe trinken. Auf hohen Stab gestützt, steht Rahel und lächelt sich in die Seele des Mannes, der ihr zwanzig Jahre dienen wird. Die Luft flimmert... Allah, verzeihe mir die Sünde! Die Fuge ist im Bach-Saal geblieben, ich nehme nur die Sonne mit nach Hause. *(D—n im Zwölf-Uhr-Blatt, Berlin.)*

Wir weisen auf den Prospekt der Verlagsanstalt **Alexander Koch** (Darmstadt) hin, der diesem Heft beiliegt.

5

137

‹Der Querschnitt›, Berlin, Jg. 9, Heft 2 vom Februar 1929, S.136 f. [kA 11, 184 ff]

Berlin W 30
am 22. I. 29.

Meine liebste Lotte,

ich danke Dir bereits für Deinen lieben Brief und muß Dir nun nur rasch mitteilen, daß Du Dir vollständig unnötig finstere Gedanken machst — meine Worte, betr. der „unnützen Erklärung" sind doch sehr einfach zu verstehen. Ich kann es jetzt nicht schriftlich widerlegen, auf alle Fälle teile ich Dir nur mit, daß es gerade das absolute Gegenteil von dem bedeutet, was Du Dir denkst — Die Erklärung ist sehr einfach: ich habe (wie ich Dir es schon oft meinte) eine Ahnung oder Befürchtung der eingetreten, daß ich Dir nicht so schreibe, wie ich will. Aus einem sehr einfachen Grunde: weil ich befürchte, daß der Brief in andere Hände fällt. Weiß Gott, ich rede diesen Gedanken nicht los und unternehme dann sofort, bitte:
in Deinem Interesse —

Hier gibt es nichts Neues. Hast Du meine Kritiken gelesen? Die Münchner Weltblätter haben mal wieder richtig gefälscht, wenn ich einen von diesen Verleumdern erwische, bricht es ein paar Ohrfeigen. Ich verstehe ja die Wut: ganz Bayern bringt seit 1917 keinen Dramatiker heraus und nun kommt ausgerechnet ein „Ausländer", der ein „bodenständiges", „völkisches" Stück schreibt! Das einzige, das die Bayern haben. Die Wut dieser Nationalisten ist ja verständlich: ich habe nun erlebt durch ihr Rechtzug einen dicken Strich zu machen. —

Bleibst Du jetzt in München? Ich bleibe hier bis ungefähr Mitte März. Muß hier bleiben. Dann komme ich nach Murnau bis Juni oder Juli. Ich freue mich schon sehr, sehr darauf.

Schreib mir, Lotte, bitte, wieder! Und fasse wieder frohe Auf. Ich bin doch ein guter Mensch, ich tu nichts lieber lieben.

Dein
Ödön

Ödön von Horváth an Lotte Fahr, Brief vom 22. Jänner 1929. Handschrift, 1 Blatt. [s. Horváth Blätter 1, 106 f]

Der Text des Briefes lautet:

Berlin W 30
am 22. I. 29.

Meine liebste Lotte,

ich danke Dir herzlichst für Deinen lieben Brief und möchte Dir nun nur rasch mitteilen, dass Du Dir vollständig unnötig finstere Gedanken machst – meine Worte, betr. der ‹mündlichen Erklärung› sind doch sehr einfach zu verstehen. Ich kann es jetzt nicht schriftlich niederlegen, auf alle Fälle teile ich Dir nur mit, dass sie gerade das absolute Gegenteil von dem bedeuten, was Du Dir denkst – die Erklärung ist sehr einfach: ich habe (ich weis es selbst nicht warum) eine Ahnung oder eine Befürchtung oder weissgottwas, dass ich Dir nicht so schreibe, wie ich will. Aus einem sehr einfachen Grunde: weil ich befürchte, dass der Brief in andere Hände fällt. Weis Gott, ich werde diesen Gedanken nicht los und verbrenne diesen sofort, bitte: in Deinem Interesse –

Hier gibt es nichts Neues. Hast Du meine Kritiken gelesen? Die Münchner Weltblätter haben mal wieder richtig gefälscht, wenn ich einen von diesen Verläumdern erwisch, kriegt er ein paar Ohrfeigen. Ich verstehe ja die Wut: ganz Bayern bringt seit 1914 keinen Dramatiker heraus und nun kommt ausgerechnet ein ‹Ausländer›, der ein ‹bodenständig›, ‹völkisches› Stück schreibt! Das einzige, das die Bayern haben. Die Wut dieser Nationalisten ist ja verständlich: ich habe mir erlaubt durch ihre Rechnung einen dicken Strich zu machen. –

Bleibst Du jetzt in München? Ich bleibe hier bis ungefähr Mitte März. Muss hier bleiben. Dann komme ich nach Murnau bis Juni oder Juli. Ich freue mich schon sehr, sehr darauf.

Schreibe mir, bald, bitte, wieder! Und fasse nichts falsch auf. Ich bin doch ein offener Mensch, ich tu nichts hinten herum.

Innigst
Dein
Ödön

‹Der Querschnitt›, Berlin, Jg. 9, Heft 2 vom Februar 1929, Umschlag vorne.

In diesem und weiteren Heften erschienen Beiträge von Horváth.

Der Brief zeigt die enge Verbundenheit zum Land; trotz des Erfolgs seines Stücks hatte Horváth große Sehnsucht danach, bald wieder in Murnau zu sein.

Der Autor bezog sich in diesem Brief auf den Erfolg seines Stücks «Die Bergbahn». Die Behauptung, daß er als einziger Dramatiker in Bayern seit 1914 Volksstücke schreibe, war übertrieben: Die Werke von Marieluise Fleißer hatten 1926 («Fegefeuer in Ingolstadt») und 1928 («Pioniere in Ingolstadt») große überregionale Resonanz gehabt.

Hotel und Café-Restaurant
Zur schönen Aussicht
Murnau, Bahnhofstr. 85a
*
Schöne Fremdenzimmer mit vorzüglichen Betten
Herrliche Aussicht auf See und Gebirge
Schönster Restaurationsgarten
*
Elektrisches Licht
Telephon und Bäder im Hause • Mäßige Preise
Besitzer: Hans Fröhler

Reklame für das Hotel und Café-Restaurant Zur schönen Aussicht, aus der Zeitung ‹Der Staffelsee-Bote›.

Das ursprünglich beste Hotel am Platz wechselte mehrmals die Besitzer und den Namen. Ursprünglich hieß es Hotel Fröhler, später Zur schönen Aussicht, Hotel Schönblick und Hotel-Restaurant Bellevue.

1924 wurde im Hotel Schönblick das erste Radiogerät in Murnau aufgestellt. Die Murnauer fanden sich regelmäßig dort ein, um das äußerst schmale Programm zu hören. Dann kam das Hotel langsam herunter. 1927 wurde der hochaufragende Fachwerkbau verkauft und in ein Miethaus umgebaut, Anfang der 80er Jahre wurde es abgerissen.

Hotel Schönblick, früher Zur schönen Aussicht, Fotografie, 1924. (Murnau, Bahnhofstraße 85a).
Dies Hotel zur schönen Aussicht liegt am Rande eines mitteleuropäischen Dorfes, das Dank seiner geographischen Lage einigen Fremdenverkehr hat. Saison Juli-August. [...] Alles verstaubt und verwahrlost.
[Horváth: Zur schönen Aussicht. Regieanweisung zum Ersten Akt, 1926/1927, kA 1, 135]

Eine «windige Pension in Murnau» (Lajos von Horváth) regte Ödön von Horváth zur Komödie «Zur schönen Aussicht» an, die 1926 entstand. Den Stoff dazu fand er in der heruntergekommenen Hotelpension Zur Schönen Aussicht schräg gegenüber dem Landhaus der Horváths in der Bahnhofstraße. In dem ursprünglich erstklassigen Hotel namens Hotel Fröhler hatte die Familie Horváth 1920 und 1921 den Sommer verbracht.

«Zur schönen Aussicht» zeigt vor der Kulisse eines idyllischen Alpenpanoramas den trostlosen Alltag einer dem Untergang geweihten Gesellschaft. Szene dieser gallenbitteren Komödie ist ein abgewirtschaftetes, dem Bankrott preisgegebenes Hotel gleichen Namens, wo sich verkrachte Existenzen gegenseitig zugrunde richten – sowohl die Gäste wie das Personal des Hauses. In ihrem Gefühlsleben sind sie verroht; außerdem sind sie ausschließlich auf ihren eigenen Vorteil bedacht. Tabus kennen sie nicht; für Geld ist alles zu haben.

«Nach der Saison» sollte das Stück ursprünglich heißen, in dessen erstem Entwurf Horváth viele Murnauer bei ihren richtigen Namen nannte. Offensichtlich flossen in die Komödie Beobachtungen und Erfahrungen ein, die Ödön von Horváth als Stammgast des Strand-Hotels und des Café Seerose mit dem dortigen Personal gemacht hatte. Besonders diente ihm aber die Lokalzeitung ‹Staffelsee-Bote› als Rohstoff. Regelmäßig las er die mit Anekdoten und Klatsch gespickte Heimatzeitung. Ihr verdankte er einige gute Funde und Einfälle für dieses und für spätere Stücke. So berichtete

der ‹Staffelsee-Bote› damals über zwei gesuchte Mörder, die in Murnau als Sommerfrischler untergetaucht waren, und über mehrere Schieber und Betrüger, die in Murnau überwinterten – ein Motiv, das in seine erste Komödie einfloß.

«Zur schönen Aussicht» erschien 1928 als erstes Bühnenmanuskript Horváths im Berliner Volksbühnen-Verlag.

1929 plante das Studio Dresdner Schauspieler eine Aufführung des Stücks, die jedoch wegen Geldmangels unterblieb. Ein weiterer Versuch fand zu Horváths Lebzeiten nicht statt.

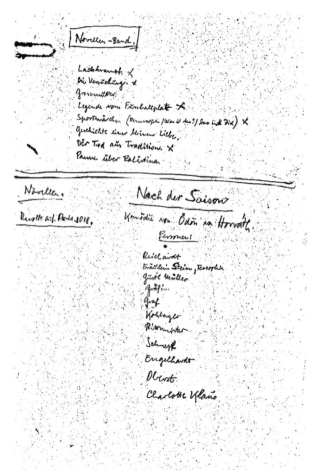

Und um einen heutigen Menschen realistisch schildern zu können, muß ich ihn also dementsprechend reden lassen. [...] Mit vollem Bewußtsein zerstörte ich das alte Volksstück, formal und ethisch – und versuchte als dramatischer Chronist die neue Form des Volksstückes zu finden. [...] Man wirft mir vor, ich sei zu derb, zu ekelhaft, zu unheimlich, zu zynisch und was es dergleichen noch an soliden, gediegenen Eigenschaften gibt – und man übersieht dabei, daß ich doch kein anderes Bestreben habe, als die Welt so zu schildern, wie sie halt leider ist. – Und daß das gute Prinzip auf der Welt den Ton angibt, wird man wohl kaum beweisen können – behaupten schon. – Der Widerwille eines Teiles des Publikums beruht wohl darauf, daß dieser Teil sich in den Personen auf der Bühne selbst erkennt – und es gibt natürlich Menschen, die über sich selbst nicht lachen können – und besonders nicht über mehr oder minder bewußtes, höchst privates Triebleben.

[Interview Horváth / Cronauer, 1932, kA 11, 201 ff]

Ödön von Horváth: Notizen zu **«Novellen-Band» und «Nach der Saison».** Handschrift, 1926 oder 1927.
Zur Komödie, die schließlich den Titel «Zur schönen Aussicht» erhielt, sind Rollennamen notiert, die teilweise in Murnau lebende Personen mit ihren richtigen Namen nennen.

Horváth war mit Josef Fürst (1863–1940), dem Gründer und Herausgeber des ‹Staffelsee-Boten› und Besitzer der Fürst-Alm gut bekannt. Regelmäßig besuchte er diese Gartenwirtschaft und widmete Wirt und Lokal 1929 einen kurzen Text. Sogar in Berlin dachte der Schriftsteller an diesen «schönsten Punkt am nördlichen Rande der bayerischen Alpen»:

Infolge der durch den Sommer hereinbrechenden Reise- und Ferienzeit möchte ich all jene, die mit irgendeinem Kraftfahrzeug die südliche Grenze des deutschen Reiches in Richtung München – Garmisch-Partenkirchen einschlagen nach Tirol oder nach Oberammergau auf eine neu entstandene Station aufmerksam machen, auf die Fürst Alm auf dem Dünaberg bei Murnau am Staffelsee in Oberbayern. [...]

Von der Fürst Alm sieht man die Berge von Allgäu bis Tölz, Zugspitze und Wetterstein, Teufelsgrat, Wank und Krottenkopf, Heimgarten, Herzogstand, Benediktenwand und das Ettaler Manndl und alles, was sich um diese Berge herumgruppiert, Täler und Dörfer und den See nordwärts mit der oberbayrischen Hochebene.

Nirgends in ganz Oberbayern hat man solch einen instruktiven Überblick über eine typisch oberbayerische Landschaft.
[Horváth, Die Fürst Alm, 1929, kA 11, 133 f]

Josef Fürst (1863–1940). Fotografie, 1930er Jahre.
Wirt der Fürst-Alm, Gründer des ‹Gebirgstrachten-Erhaltungsvereins› Murnau, jahrzehntelanger Vorsitzender des Turnvereins, langjähriges Mitglied im Murnauer Gemeinderat. Auf seine Initiative hin wurde 1905 die Murnauer Turnhalle errichtet und 1920 das Murnauer Strandbad gebaut.

Der Vater Fürst war in seiner Jugend einer der Einführer der Lederhosen gegen das Geschrei der Klerikalen wegen der unsittlichen Tracht. Der Kampf um die Lederhose.

Heute ist er ein alter Herr mit einem Bart, der natürlich wirkt und ist auch tatsächlich mit Andreas Hofer verwandt.
[Horváth, Die Fürst Alm, 1929, kA 11, 133]

Redaktion und Druckerei der Lokalzeitung ‹Staffelsee-Bote› im Obermarkt, Murnau Nr. 197. Fotografie, 1920er Jahre.
1888 kam der 25jährige Josef Fürst von Miesbach nach Murnau und gründete noch im selben Jahr den Verlag ‹Staffelsee-Bote›. Lange Jahre blieb Josef Fürst der Herausgeber dieser Zeitung.

Die **Fürst-Alm** bei Murnau. Fotografie, 1930er Jahre.
1927 zog sich Josef Fürst aus dem aktiven politischen Leben auf seine
Fürst-Alm zurück und eröffnete dort ein Aussichtscafé mit Gartenbetrieb.
Horváth und Bekannte auf der Terrasse der Fürst-Alm. Fotografie, 1929.

Ansichtskarte von der Zugspitze, die Lajos und Ödön von Horváth am 14. Juli 1920 von der Höllentalhütte an die Eltern sandten. Bild- und Textseite. [s. Horváth Blätter 2, 102 ff]

In einem Tourenbuch des Alpenvereins wurde folgende Eintragung vom darauffolgenden Samstag gefunden [vgl. Horváth Blätter 2, 110]:
Ödön Josef von Horváth
D[eutscher und]. Oe[sterreichischer].
A[lpen]. V[erein]. Sekt[ion]. München.
Knorrhütte ↑ Innere → Mittlere → Äussere
Höllentalhütte → Volkarspitze → Hochblas-
sen → Alpspitze ↓ Kreuzeck
am 17. Juli 1920.
mit [Unterschrift unleserlich]

Hans Geiringer erinnerte sich an Ödön von Horváth:
Trinken konnte er recht gut, nicht zu viel, aber auch nicht zu wenig. Nur einmal sah ich ihn einen halben Liter mit einem Zug hinunterstürzen – aber das war ausnahmsweise nur Limonade und ereignete sich auf dem Kreuzeckhaus bei Garmisch, nachdem wir in siebenstündiger Kletterei die Traversierung Zugspitze – Alpspitze hinter uns hatten. Es war die schönste Tour meines Lebens. Damals gab es noch keine Bahnen und keine Hotels auf der Zugspitze und man mußte sich die 2963 Meter sauer verdienen. Diese Tour werde ich nie vergessen; schon darum nicht, weil es das einzige Mal in unserer fast 20jährigen Freundschaft war, daß mich Ödön beschimpfte. Wir waren knapp nach dem Einstieg in eine hohe Wand, als ich es mit der Angst kriegte. Ich murmelte etwas von ‹Ich kann nicht weiter ...› und wollte umkehren. Da aber legte er los: ‹Himmel, Kruzi, Türken, du Scheißkerl ...› und wie die sonstigen urbayerischen Kraftsprüche lauten. Ich war so eingeschüchtert, daß ich wie eine Gemse kletterte. Er war ein hervorragender Alpinist und treuer Tourenkamerad und wußte nur

zu gut, wie man die Menschen in solchen Fällen behandeln muß.

Die Berge liebte er, als wenn sie seine Heimat wären, wie ja überhaupt alles, was mit der Natur zusammenhing, ihn froh und heiter stimmte.»

[Hans Geiringer, in: Materialien zu Ödön von Horváth, 107 f]

«Am Höllentalferner». Horváth und Freunde bei einer Bergwanderung. Fotografie 1920er Jahre.

Das Volksstück «Revolte auf Côte 3018», das nach verschiedenen dramatischen Entwürfen am 4. November 1927 in Hamburg als Horváths erstes Bühnenwerk uraufgeführt wurde, handelt von den schlechten Arbeitsbedingungen unter extrem harten Witterungsverhältnissen beim Bau einer Bergbahn. Gemeint ist der Bau der Tiroler Seilbahn auf die Zugspitze in Ehrwald von 1924 bis 1926. Horváth hatte sich in Berlin als Arbeiter ausgegeben, der selbst beim Zugspitzbahnbau gearbeitet habe und nun das Selbsterlebte zu einem Bühnenstück geformt hatte.

In Wahrheit erfuhr der leidenschaftliche Alpinist auf seinen zahlreichen Bergtouren auf die Zugspitze von den Unfällen und skandalösen Bedingungen beim Bergbahnbau. Ödön von Horváth war mit dem damaligen Hüttenwirt des Münchner Hauses eng befreudet. In dem 1900 errichteten Schutzhaus unterhalb des Zugspitzgipfels traf er mit den Bergbahnarbeitern zusammen, die den gefährlichen Weg von der Baustelle zum Münchner Haus auf sich nahmen, um ein Bier zu trinken. Ihre erschütternden Berichte über Witterungsverhältnisse, unzureichende Ausrüstung, schlechte Verpflegung, ausständigen Lohn, Termindruck, Unfälle und Streitigkeiten mit der Bauleitung flossen in Horváths erstes Volksstück ein.

Darüber hinaus berichteten die Zeitungen über Unfälle und über einen Aufstand der Arbeiter beim Bau der Tiroler Bergbahn im Mai 1926, weil die Betriebsleitung mit Lohnzahlungen im Rückstand war und vereinbarte Lohnerhöhungen nicht durchgeführt wurden.

Horváth zeigt die Schattenseiten beim Bau eines solchen Werks der modernen Technik, der letztendlich allein von Geldinteressen bestimmt wird. Im Wettrennen der österreichischen und bayerischen Seite zum Zugspitzgipfel blieben die Arbeiter auf der Strecke. Beim Tiroler Zugspitzbahnbau kamen mindestens vier Menschen ums Leben. In Horváths Stück fordert der Streik drei Tote.

Das Volksstück fand in der Hamburger Fassung so wenig Zuspruch durch die Kritik, daß der Autor in einer Umarbeitung wichtige Aussagen mäßigte. Die Neufassung wurde unter dem neuen Titel «Die Bergbahn» 1929 in Berlin mit mehr Erfolg aufgeführt.

SLIWINSKI: Da liest überall vom Fortschritt der Menschheit und die Leut bekränzn an Ingineur, wie an Preisstier, die Direkter sperrn die Geldsäck in d'Kass und dem Bauer blüht der Fremdenverkehr. A jede Schraubn werd zum «Wunder der Technik», a jede Odlgrubn zur «Heilquelle». Aber, daß aner sei Lebn hergebn hat, des Blut werd ausradiert!

[Horváth, Die Bergbahn, 1929, kA 1, 102]

Beim Bau der Zugspitzbahn auf österreichischer Seite. Arbeiter im Mast. Fotografie, 1926.

Im Frühjahr 1925 wurde mit dem Bau der Seilschwebebahn von Ehrwald / Tirol auf den Zugspitzkamm (2805 m ü.d.M.) begonnen. Nach 14 Monaten Bauzeit wurde das «Wunderwerk der modernen Technik» am 5. Juli 1926 eröffnet. Die Bahn überwindet auf einer 3360 Meter langen Strecke mit sechs Stützen einen Höhenunterschied von 1578 Metern. Die Errichtung der eisernen Stützen in eisigem Gelände erforderte von den Bergbahnarbeitern völlige Schwindelfreiheit und eine korrekte Ausrüstung. Beides war oft nicht gegeben.

Beim Bau der Zugspitzbahn auf österreichischer Seite. Arbeiter vor einer Bauhütte im Hochgebirgsgelände. Fotografie, 1926.

Viele Arbeiter kamen aus dem angrenzenden Deutschen Reich. Sie übernachteten in den Baracken, die in den Felsen errichtet worden waren. Ein Koch sorgte für die Verpflegung. Die Arbeiter von auswärts wohnten längere Zeit im unwegsamen Gelände, während die Einheimischen nach der Arbeit ins Tal hinabstiegen und am nächsten Tag in aller Frühe wieder zur Baustelle hinaufkletterten.

Ödön von Horváth: «**Die Bergbahn. Volksstück**».
Uraufführung der Berliner Volksbühne im Theater
am Bülowplatz, Berlin, am 4. Jänner 1929. Regie
Viktor Schwannecke.
Szenenfotografie von der Uraufführung.
Programmheft. Umschlag mit dem Signet der
Volksbühne, Berlin.

*Ich gebrauchte diese Bezeichnung «Volksstück» nicht willkürlich,
d. h. nicht einfach deshalb, weil meine Stücke mehr oder minder
bayerisch oder österreichisch betonte Dialektstücke sind, sondern weil mir so etwas ähnliches, wie die Fortsetzung des alten
Volksstückes vorschwebte. – Des alten Volksstückes, das für uns
junge Menschen mehr oder minder natürlich auch nur noch einen
historischen Wert bedeutet, denn die Gestalten dieser Volksstücke, also die Träger der Handlung haben sich doch in den letzten zwei Jahrzehnten ganz unglaublich verändert. – Sie werden
mir nun vielleicht entgegenhalten, daß die sogenannten ewig-
menschlichen Probleme des guten alten Volksstückes auch heute
noch die Menschen bewegen. – Gewiß bewegen sie sie – aber
anders. Es gibt eine ganze Anzahl ewig-menschlicher Probleme,
über die unsere Großeltern geweint haben und über die wir heute
lachen – oder umgekehrt. Will man also das alte Volksstück heute
fortsetzen, so wird man natürlich heutige Menschen aus dem
Volke – und zwar aus den maßgebenden, für unsere Zeit bezeich-
nenden Schichten des Volkes auf die Bühne bringen. Also: zu
einem heutigen Volksstück gehören heutige Menschen, und mit
dieser Feststellung gelangt man zu einem interessanten Resultat:
nämlich, will man als Autor wahrhaft gestalten, so muß man der
völligen Zersetzung der Dialekte durch den Bildungsjargon
Rechnung tragen.*

[Interview Horváth / Cronauer, 1932, kA 11, 200 f]

Viktor Schwannecke (1880–1931), Schauspieler,
Regisseur und Berliner Wirt, hier als Kriminalkom-
missar Terry im Ufa-Film «D-Zug 13 hat Verspä-
tung». Fotografie Ufa, 1931.
Viktor Schwannecke spielte in der «Bergbahn» den
Aufsichtsrat und führte Regie.

*Als ich Ödön von Horváth zum ersten Mal begegnete, trug er ein
schwarzes Hemd und verbeulte Manchesterhosen. Das war damals, 1929, keineswegs üblich, auch nicht unter Studenten oder
Literaten [...] Wir trafen uns in der Kantine der Berliner Volksbühne, die kurz vorher seine erste Aufführung in Berlin, das Stück
«Die Bergbahn», herausgebracht hatte. Karlheinz Martin, Direktor der Volksbühne, hatte uns zusammen bestellt. «Du wirst einen
erstaunlichen Menschen kennenlernen», hatte er mir gesagt,
«einen bayrischen Bergarbeiter ungarischer Abstammung, der
Stücke schreibt.» [...] Wir bestellten Bier und Steinhäger, schau-
ten einander an. Plötzlich sagte Ödön, mit diesem nur ihm eigenen Lächeln, das mehr von den Augen als vom Mund ausging und
dem etwas tief Wissendes und unendlich Freundliches inne-
wohnte: «Sie haben mich durchschaut». Ich wußte natürlich, was
er meinte.*

*Für die Leute von der Volksbühne war es ein Fressen, das
Stück eines «echten Proletariers» aufzuführen, der selbst an der
Zugspitzbahn gearbeitet hatte, und er hatte ihnen den Gefallen
getan, eine Zeitlang diese Rolle zu spielen. Dabei brauchte man
nur seine Hände anzusehen ...*

[Carl Zuckmayer, Aufruf zum Leben, 209]

Berlin, Leipzigerstraße. Fotografie Laszlo Willinger, 1920er Jahre, aus:
Laszlo Willinger: 100 x Berlin. Berlin, 1929; Nachdruck: Gebr. Mann Verlag, Berlin, 1997, 53.

Ab und zu wurde es Ödön von Horváth in der «erholsamen Stille» Murnaus zu eng, und es zog ihn in die Metropole Berlin. Kurzzeitig spielte er sogar mit dem Gedanken, ganz nach Berlin zu gehen, denn Berlin war in den zwanziger Jahren das kulturelle Zentrum des Deutschen Reiches. Auch boten sich einem angehenden Schriftsteller dort Verdienstmöglichkeiten: regelmäßig schrieb Horváth für Berliner Zeitungen Kurzkolumnen, später wurden seine Theaterstücke und Bücher in Berlin verlegt und seine Theaterstücke dort gespielt. Die Berliner Theaterlandschaft war bunt und tonangebend, hier fanden die Premieren der wichtigsten Stücke der 1920er Jahre statt. Einige Beispiele:

Das Volkstück «Geschichten aus dem Wiener Wald» wurde am 2. November 1931 am Deutschen Theater Berlin unter der Regie von Heinz Hilpert uraufgeführt. Diesem Erfolg war die Uraufführung des Volksstückes «Italienische Nacht» am 20. März 1931 im Theater am Schiffbauerdamm Berlin durch Ernst Josef Aufricht unter der Regie von Francesco von Mendelssohn vorausgegangen. Kurz davor, am 4. März 1931, hatte Carl Zuckmayers «Hauptmann von Köpenick» am Deutschen Theater Berlin unter der Regie von Heinz Hilpert Premiere; am 6. Februar 1931 war im Staatlichen Schauspielhaus Berlin «Mann ist Mann» unter Brechts Regie zum ersten Mal aufgeführt worden.

Walter Mehrings «Der Kaufmann von Berlin» war am 6. September 1929 auf der Piscator-Bühne am Nollendorfplatz unter der Regie von Erwin Piscator zu sehen gewesen – ein halbes Jahr, nachdem Marieluise Fleißers Volksstück «Pioniere in Ingolstadt» am 30. März 1929 am Theater am Schiffbauerdamm Berlin unter der Regie von Jakob Geis uraufgeführt worden war.

Durch das Theater gewann Ödön von Horváth in Berlin viele Freunde und Bekannte, darunter Carl Zuckmayer, Walter Mehring, Géza von Cziffra, Francesco von Mendelssohn, Eleonore von Mendelssohn, Luise Ullrich, Gustav Gründgens.

In Berlin wurde ihm auf Vorschlag Zuckmayers im Herbst 1931 zusammen mit Erik Reger der renommierte Kleist-Preis zuerkannt.

Horváth blieb aber nur jeweils so lange in Berlin, wie es seine Arbeit unbedingt erforderte und übernachtete häufig in kleinen, billigen Pensionen, meist in der Gegend um den Nollendorfplatz. Dann kehrte er auf der Flucht vor Lärm, Betrieb und Großstadtrummel nach Murnau zurück und schrieb in der ländlichen Ruhe seine Theaterstücke. Dort besuchten ihn häufig Freunde aus Berlin, die im bäuerlichen Murnau wegen ihrer Kleidung und des großstädtischen Lebensstils sofort auffielen. Dazu gehörten etwa Ise Frank, die zweite Frau von Walter Gropius, und ihre Nichte Atti, die auch Gabriele Münter, die gemeinsame Freundin und Malerin, in Murnau trafen.

Ödön von Horváth beim Schachspiel in Murnau. Fotografie, 1925.

Grete Fischer, Verlagslektorin im Ullstein-Verlag erzählte:

Horváth pflegte nach einem Pflichtbesuch in der Theaterabteilung, die der höflich-elegante Dr. Sulzbach leitete, zu einem Schwatz zu uns zu kommen und uns unerschöpflich Geschichten zu erzählen. Mit einem von Gelbsucht fast schwarzen Gesicht berichtete er: «Magen verdorben. Hätt das gefrorene Bier nicht saufen sollen.» – «Gefrorenes Bier?» – «Beim Skifahren. Auf der Hüttn. Das Bier war hartgefrorn, und wir haben's getaut ...»

[Materialien zu Ödön von Horváth, 33]

Gedächtnisfeier für Albert Steinrück im Schauspielhaus am Gendarmenmarkt in Berlin und Aufführung von Frank Wedekinds «Der Marquis von Keith». Fotografie, 28. März 1929. V.l.n.r.: Otto Wallburg, Eleonore von Mendelssohn, Elisabeth Bergner, Leopold Jessner, Maria Bard, Lothar Müthel, Mady Christians, Viktor Schwannecke, Carola Neher, Albert Florath, Trude Hesterberg, Alfred Fischer, Heinrich Mann, Tilly Wedekind.
Vertrag zwischen Ödön von Horváth und dem Verlag Ullstein, geschlossen in Berlin am 11. Jänner 1929. 3 Seiten Typoskript mit handschriftlichen Zusätzen, Stempelmarke und Stempeln. Seite 1.
Im Rahmen dieses Vertrags und der folgenden Verlängerungen publizierten der Ullstein Verlag und seine Tochterunternehmen, der Propyläen und der Arcadia Verlag, den Roman «Der ewige Spießer» und die drei Theaterstücke der Jahre 1931 und 1932. Der Vertrag wurde per Ende 1932 gelöst; Horváth hatte zu diesem Zeitpunkt gegenüber den Vorschüssen eine Schuld zu begleichen, die er durch Einnahmen aus Verträgen mit dem Buchverlag Kiepenheuer und Filmfirmen abgelten wollte.

Der Kulturbetrieb der Weimarer Republik, besonders aber das anspruchsvolle Theater, war ein Schnittpunkt zukunftsweisender Strömungen. Auf den Bühnen trafen weltanschaulich und persönlich widerspruchsvolle Leute zusammen, bildeten kurzfristige Koalitionen, sei es für eine gute Theateraufführung, sei es für personalpolitische Zwecke, sei es für die Vermittlung ihrer jeweiligen Weltanschauungen.

Die Benefizaufführung von Wedekinds «Marquis von Keith» zeigt wie in einer Momentaufnahme die Gleichzeitigkeit solcher Beziehungen und möglichen Verflechtungen. An der exklusiven Nachtaufführung, als Zitat der bahnbrechenden Inszenierung Leopold Jessners von 1920 konzipiert, nahmen alle teil, die Rang und Namen hatten, und sei es als Statisten. Das Bild zeigt 14 der etwa 80 Mitwirkenden: Regisseur Jessner, den linksliberalen Schriftsteller Heinrich Mann, der die Gedenkrede hielt, den Organisator Alfred Fischer, und arrivierte Schauspieler, darunter Weltstar Elisabeth Bergner, lokale Berliner Stars wie Schwannecke, aufstrebende Stars wie die Nichte eines der Mäzene, Eleonore von Mendelssohn, oder die links engagierte Carola Neher.

Wer wie Horváth mit einigen Personen aus dieser Theaterwelt bekannt wurde, hatte die Chance, vielfältige Verbindungen zu knüpfen, die sich, wie in seinem Fall, auch später im Filmbetrieb als nützlich erweisen sollten.

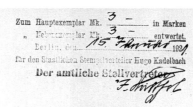

Zum Hauptexemplar Mk. 3 — in Marken
„ Nebenexemplar Mk. 3 — entwertet.
Berlin, den 15 Januar 1929
für den Staatlichen Stempelverteiler Hugo Kadelbach
Der amtliche Stellvertreter

V e r t r a g .
-.-.-.-.-.-.-.-.-.-.-.-

Zwischen Herrn Ö d ö n v o n H o r v a t h ,

und dem Verlag U l l s t e i n Aktiengesellschaft, Berlin S.W.68,

wird folgende Vereinbarung getroffen:

Der Verlag leistet an Herrn von Horvath, und zwar beginnend am

15. Januar 1929 und endigend am 15. Dezember 1929, monatliche Pränume-

rando-Zahlungen in Höhe von je

    Mk. 500.-- (fünfhundert Mark) am 15. Januar und 15. Februar 1929
                und je
   " 300.-- (dreihundert Mark) am 15. der weiteren Monate.

Die Summe dieser Pränumerando-Zahlungen ist auf die Herrn von Horvath

zustehenden Tantiemen aus dem Bühnenvertrieb , für Buchausgaben und

Vorabdrucke zu verrechnen, jedoch nicht auf Honorare für Einzelbeiträge.

Herr von Horvath verpflichtet sich, seine gesamte schriftstellerische

Produktion an dramatischen, erzählenden und lyrischen Werken während der

Zeit bis 15. Januar 1930 dem Verlag Ullstein zuerst einzureichen.

Im Falle der Annahme der Werke durch den Verlag Ullstein steht es diesem

frei, die Werke im Ullstein- oder im Propyläen-Verlag, bezw. einem dem

Ullstein-Verlage nahestehenden Bühnenverlage herauszubringen bezw. zu

verwerten.

Auf vom Verlage veranstaltete Buchausgaben erhält Herr von Horvath

für jedes verkaufte Exemplar 12% (zwölf Prozent) vom Ladenpreis, errechnet

auf den Ladenpreis des broschierten Exemplars.

Von Eingängen aus dem Bühnenvertrieb der Werke, also von dem Urheber-

anteil, der dem Verlag zufließt, erhält Herr von Horvath 80% (achtzig Pro-

zent), während dem Bühnenverlag 20% (zwanzig Prozent) verbleiben.

                                  Von

Francesco von Mendelssohn. (1901–1972).
Signierte und datierte Fotografie, um 1927.
Cellist, Schauspieler und Regisseur von «Italienische Nacht» (Berlin 1931) und «Kasimir und
Karoline» (Leipzig und Berlin 1932). Mendelssohn
war Max Reinhardts Regieassistent und arbeitete
mit diesem in den 1930er Jahren in die USA.

Eleonore von Mendelssohn (1900–1951).
Fotografie P. Feldscharek, Wien, um 1930.
Die Schauspielerin Eleonore und ihr Bruder Francesco von Mendelssohn lebten bis 1933 in Berlin in
der prunkvollen Villa ihres Vaters, eines Bankiers,
umgeben von wertvollsten Kunstschätzen. Horváth
wohnte eine Zeitlang als Gast in der Villa der Geschwister.

Aus der Liste der Mitwirkenden sei in diesem Zusammenhang
besonders auf Eleonore von Mendelssohn, Veit Harlan, Hilde
Körber und Fritz Kortner hingewiesen. Francesco von Mendelssohn war einer der besten Freunde des damals aufstrebenden
Schauspielers und Theaterregisseurs – und späteren NS-Filmregis-
seurs – Veit Harlan; der jüdische Francesco war sogar Trauzeuge
bei Harlans Eheschließung mit Hilde Körber; der zweite Trauzeuge war übrigens der bereits damals als Jude heftig attackierte
Fritz Kortner.

Weitere Mitwirkende, die auf die – teils zukünftige – Wiener
Theater- und Filmszene verwiesen, waren Käthe Dorsch, Rudolf
Forster, Ernst Deutsch, Heinrich Schnitzler und Hermann Thimig.

Luise Ullrich, ein Star der Berliner Bühnen, erzählte:
*Vor meiner Wohnungstür sagte jemand: «Guten Morgen!» Fran-
cesco von Mendelssohn saß ohne Schuhe auf dem Fensterbrett
und hatte sich mit seinem Mantel zugedeckt. «Ich habe hier über-
nachtet, weil ich Sie endlich einmal treffen wollte.» Er schlüpfte
in seine Halbschuhe. «Entschuldigen Sie, daß ich nicht rasiert
bin, aber ich hatte nichts dabei. Der Nachtbesuch war improvi-
siert.»*

Ich war sehr nervös. [...]

«Kennen Sie Ödön von Horváth?» fragte Francesco mit Tempo und Nachdruck, nahm meinen kleinen Koffer, in dem ich Kaffee und eine Kleinigkeit für den Lunch hatte, und lief mir nach «Sie können es sich als junge Schauspielerin nicht leisten, so etwas Fabelhaftes abzulehnen. Sie können uns das nicht antun. Ödön will unbedingt, daß Sie die Rolle der Karoline spielen, sonst zieht er das Stück zurück. Ödön von Horváth ist der moderne Dichter. Zuckmayer, Hauptmann, Knittel, das sind alles Epigonen von Johann Wolfgang, aber Ödön ist neu. Ödön bittet Sie also, [Ernst Josef] Aufricht bittet Sie, ich bitte Sie. ...»

[Luise Ullrich, Komm auf die Schaukel, Luise, 66 f]

Manche Erinnerungen an Horváth vermitteln den Eindruck von einem ausgeprägten Stadtmenschen; vielleicht ist sein subjektives Abwägen zwischen Stadt und Land anderen nicht so sehr aufgefallen wie ihm selbst. Er notierte dazu:

[...] in der Großstadt habe ich mehr Eindrücke, sehe ich mehr und wichtigeres für unsere Zeit als auf dem Lande.

Mich besuchte mal ein Freund und wir gingen zusammen spazieren, es war ihm alles ungewöhnlich und er sah und genoß alles bedeutend empfindlicher als ich. Wir sprachen über die Natur und die Landwirtschaft, über das kleine Leben der Bauern und kleinen Bürger, das sich aber in ihrem privaten Leben genau so abspielt, wie in der Stadt, das der einzelnen Leute. [...]

Plötzlich sagte mein Freund: Es ist höchste Zeit, daß du in die Stadt kommst, du lebst hier am Rande der Welt. [...]

Es ist klar, daß die Stadt den Ton angibt, du kannst am Dorfe draußen auch all die Zeitungen lesen, aber es fehlt dir das Fluidum der Wandlung. Es bildet sich eine neue Menschheit, auf dem Lande heraußen wirst du zum Beobachter, es fehlt dir die Atmosphäre der neuen Menschen.

Du lebst auf dem Lande in der sozialen Schicht, die untergeht.

Und dann ist noch eine Gefahr auf dem Lande, das ist die Stille. Unter Stille verstehe ich nun natürlich nicht die Geräuschlosigkeit, die man sich zum arbeiten auch in der Großstadt beschaffen kann.

Es ist die Stille der Atmosphäre, des Stillstands. [...]

Auf dem Lande besteht die Gefahr des Romantischwerdens. Der sogenannten neuen Illusion.

[Horváth, Flucht aus der Stille, 1929, kA 11, 187 f]

Ödön von Horváth. Automatenfotografie, angefertigt in der Friedrichstraße, Berlin, 1928.

Carl Zuckmayer erinnerte sich an seine ersten Treffen mit Ödön von Horváth in Berlin 1929:

Er erschien in einem wohlgebügelten Flanellanzug und sah fast elegant aus. Aber er hatte auch im schwarzen Hemd fast elegant ausgesehen, und so war es immer mit ihm, auch wenn er später in Henndorf, wie wir alle, in kurzen Lederhosen und Bauernleinen herumlief. Den Edelmann (im Sinne des Wortes) konnte er nie verleugnen. Höchst merkwürdig war es, daß er, in dessen Stammbaum die ganze k.u.k. Monarchie, besonders deren östliche Völker lebten, sich völlig aufs Bayerische stilisiert hatte, auch in seiner Sprache und Ausdrucksweise – im Gegensatz zu seinem nur wenig jüngeren Bruder Lajos, der durchaus ungarisch war, auch immer mit leicht ungarischem Akzent sprach, als käme er geradewegs aus Budapest.

[Carl Zuckmayer, Aufruf zum Leben, 210]

(Frei-)«Korps Werdenfels in München», Mai 1919. Fotografie Heinrich Hoffmann.

Am Ende des Ersten Weltkriegs waren auf beiden Seiten 8,5 Millionen Soldaten getötet und 21 Millionen verwundet. Jene Soldaten, die von den Kriegsschauplätzen zurückkehrten, hatten große Schwierigkeiten, sich in die Gesellschaft zu reintegrieren. Die ruinierte Wirtschaft bot ihnen kaum Arbeit. Die Waffenstillstandsverträge stellten eine weitere Belastung für die Wirtschaft dar; ferner begrenzten sie die Größe des stehenden Militärs in Deutschland. Viele Soldaten und Offiziere hatten sich daher schon im Winter 1918/1919 zu militärischen Gruppen zusammengeschlossen, die zwar illegal existierten, aber als «Arbeitskommandos» oder «Freikorps» von den Behörden geduldet und vom Militär geschätzt wurden. Man nannte sie in den 1920er Jahren «Schwarze Reichswehr», die neben der offiziellen Streitkraft bestand. Finanziert von verschiedensten Seiten, denen die Unzufriedenheit mit dem Wechsel der Staatsform zur Republik gemeinsam war, moralisch unterstützt sogar vom ehemaligen, 1918 abgedankten Kaiserhaus, führten sie Übungen und Scheinkämpfe durch, bei denen es wie im echten Krieg auch Opfer gab – unter Soldaten wie unter der Zivilbevölkerung; Feinde oder Verräter wurden ermordet. Auch die Justiz kam den Freikorps nicht bei. Sie beurteilte Fememorde der Freikorps nachsichtig, sah hingegen hinter zahlreichen zivilen Straftaten aus dem progressiven Spektrum Staatsverbrechen und ahndete diese außergewöhnlich scharf.

Die Deutsche Liga für Menschenrechte und die Wochenschrift ‹Weltbühne› wollten auf diese Mißstände aufmerksam machen.

Fememord an Marie Sandmayr im Forstenriederpark München. Polizeiliche Dokumentationsfotografie der Leiche, 1920.

Am 6. Oktober 1920 wurde die Köchin und Dienstmagd Marie Sandmayr aus München im Forstenriederpark erdrosselt aufgefunden. Von Anfang an vermutete die linksgerichtete Presse einen politisch motivierten Fememord, ausgeübt von Mitgliedern eines nationalistischen Geheimbundes. Ermittlungen ergaben, daß sie dem Entwaffnungskommissar des Reiches das Waffenlager verraten wollte, das sich im Schloß ihrer Dienstherrschaft Treuberg befand. Als Täter wurde Leutnant Hans Schweighart vom Freikorps Oberland im Dezember 1921 in Innsbruck verhaftet und an Bayern ausgeliefert. Er gehörte zum unmittelbaren Umfeld des Hauptmanns Ernst Röhm. Für seine Tat wurde er nie rechtskräftig verurteilt. Der Haftbefehl wurde schon bald nach seiner Inhaftierung aufgehoben.

Horváth kannte den Fall wohl aus der Presse, aus E. J. Gumbels Buch wie aus seiner Arbeit in der Liga für Menschenrechte.

Die
Weltbühne
Der Schaubühne XXI. Jahr
Wochenschrift für Politik-Kunst-Wirtschaft
Herausgeber-Siegfried Jacobsohn

Inhalt:
2½ te rediviva? / von Friedrich Schwag
Der nächste Weltkrieg / von Otto Corbach
Drahtseilkunst / von Hellmut v. Gerlach
Bayrisches zur Kriegsschuldfrage / von Albert Winter
Nie wieder Krieg! / von Franz Carl Endres
Das Spitzelsystem der Schwarzen Reichswehr / von *.*
Oslo / von Friedrich Sieburg
Nationales / von Peter Panter
Dreyfus und Briand / von Anatole France
Conrad Ferdinand Meyer / von Wolfgang Schumann
Don Juan und Faust / von S. J.
Umgang mit Heiligen / von Martin Beradt
Caillaux und Stumm / von Morus
Bemerkungen / von Wrobel, Jacob, Hiller, Schnog
Antworten

Erscheint jeden Dienstag
XXI. Jahrgang   13. Oktober 1925   Nummer 41
Versandort: Potsdam

Verlag der Weltbühne
Charlottenburg- Königsweg 33

‹Die Weltbühne›, Jg. 21, Nr. 41 vom 13. Oktober 1925 mit einem Artikel aus der Serie «Das Spitzelsystem der Schwarzen Reichswehr».

Einer der Vorkämpfer für Gerechtigkeit war Emil Julius Gumbel mit dem 1922 publizierten Buch «Vier Jahre politischer Mord», ein anderer Carl Mertens – erst selbst Freischärler, dann radikaler Pazifist. 1925 und 1926 erschienen anonym seine Beiträge in der ‹Weltbühne› über «Die vaterländischen Verbände», darunter der Bericht «Das Spitzelsystem der Schwarzen Reichswehr», womit ein wichtiger Schlag gegen die Staatsfeinde getan war.

Gemeinsam mit anderen engagierten Personen sammelte Horváth, ein eifriger Leser der ‹Weltbühne›, im Frühjahr 1927 im Archiv der Deutschen Liga für Menschenrechte Material zur Publikation des Buchs «Acht Jahre politische Justiz. Das Zuchthaus – die politische Waffe», das im gleichen Jahr anonym erschien.

Immerhin, als Erfolg dieser und anderer Publikationen konnte gezählt werden, daß der deutsche Reichswehrminister Otto Geßler im Jänner 1928 zurücktrat (wenn auch aus anderen Gründen) und ein dem Rechtsstaat gegenüber positiv eingestellter Nachfolger bestellt wurde.

Ödön von Horváth. Signierte und datierte Fotografie Alice Domker, 1929.

«Acht Jahre politische Justiz. Das Zuchthaus – die politische Waffe».
Eine Denkschrift der Deutschen Liga für Menschenrechte. Berlin, 1927.
Einband.
In den Räumen der Liga in der [Berliner] Wilhelmstraße setzte
[nach einem Aufruf im Dezember 1926] eine rege Tätigkeit ein.
Ein Bruder des Ministerialdirektors Carl Falck (des späteren
Oberpräsidenten der Provinz Sachsen), Bürgermeister a. D.
Falck aus Freienwalde, und der Schriftsteller Ödön von Horváth
zogen in unser Büro ein, um die umfangreichen Unterlagen zu
sichten. Ende Mai [1927] war die Arbeit abgeschlossen. Die Liga
übergab die Denkschrift «Acht Jahre politische Justiz» [...] der
Öffentlichkeit. [...] «Das ist ein Buch, das auf den Geburtstags-
tisch jedes deutschen Staatsbürgers gehörte, damit er sieht, wie
sein Staat aussieht, wenn er es noch nicht weiß», schrieb die
«Weltbühne» (21. Juni 1927).
[Kurt R. Grossman, Ossietzky, 1963, 162f]

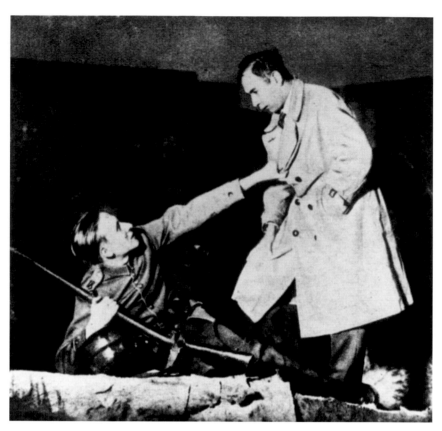

Ödön von Horváth: «**Sladek, der schwarze Reichswehrmann. Historie aus dem Zeitalter der Inflation**», uraufgeführt am 13. Oktober 1929 als Matinee der ‹Aktuellen Bühne› im Lessingtheater, Berlin. Regie Erich Fisch. Szene mit Otto Mathies (Sladek) und Fritz Ritter (Schminke).
Szenenfotografie Atlantic, 1929. Unbezeichneter Zeitungsausschnitt.

Horváths Theaterstück «Sladek oder Die schwarze Armee» entstand 1927 und wurde in einer zweiten Fassung mit dem Titel «Sladek, der schwarze Reichswehrmann. Historie aus dem Zeitalter der Inflation» am 13. Oktober 1929 als Matinee der ‹Aktuellen Bühne› im Lessingtheater, Berlin, uraufgeführt.

Putschgelüste, der Wahn vom unbesiegbaren Deutschland, Militarismus, antisemitische Vorurteile – Juden wurde das ruhmlose Ende des Krieges und der Pazifismus in die Schuhe geschoben –, die vorgeblich ungerechtfertigten Kriegsschuldsanktionen des Auslands gegen Deutschland, nationalistische und rechtsextreme Schlagworte und Fatalismus geben die Folie des verschwörerischen Geschehens ab, dem sich private Konflikte unterordnen.

Daß Horváth ein nur sechs Jahre zuvor spielendes Thema unter einer historisierten Perspektive sah, mag mit dem Wunsch nach Evolution verbunden gewesen sein. Zwar schienen 1929 die wirtschaftlichen und psychologischen Kriegsfolgen der Generation des Autors überwunden, doch sprachen die Weltwirtschaftskrise und der bis 1933 enorm angestiegene Anhängerkreis der Nationalsozialisten (1926: 2,6%, 1930: 18,3%, 1932: 37,8%,

Schwarze Reichswehr auf der Bühne

Ein politisches Stück von Oedön Horvâth

Schwarze Reichswehr — Inflation — Putschpläne — Fememorde — ein graues, grausiges Kapitel letzter Vergangenheit.

Auf den Gütern Mecklenburgs, in den Hinterzimmern der Wirtsstuben kleiner Städte, in den kühlen, verschwiegenen Bürozimmern hoher Ministerien spannen sich Schicksale, wisperte das Gerücht, schäumte die Phrase. Vom Vaterland und vom Vaterlandsverrat. Wie sie es verstanden.

Die Nachkriegszeit wurzelt auf ihren Bildner. Ein ungeheurer Stoff, dessen Durchdringung bis an die Wurzeln unseres gegenwärtigen politischen Seins führen müßte, will seine Bewältigung. Ein Stoff für einen Shakespeare. Mit Helden und Mördern, mit Gecken und Fanatikern, mit Narren und Frauen.

Was Oedön Horvâth gibt, ist mit der Lupe gesehen. Mit einer Lupe von kleinstem Kreis. Ein einziger Mensch bewegt sich darunter. Sladek, der schwarze Reichswehrmann, ein Wirttopf, der unter Goldner und Desperados gerät, ein Schwätzerchen, ein halbes Männchen, der für seine Dummheit stirbt.

Sladek, das ist der mißbrauchte Jungenstyp, den sich bezahlte Lumperei einfängt, um ihm eine Windjacke und einen Dolch zu geben. Sladek ist die Schachfigur, mit deren Blut das Hakenkreuzgeschäft für das Konto unbekannter Geldgeber gemacht wird.

Horvâth, der in der «Bergbahn» sehr zu interessieren wußte, kommt über Milieuandeutungen kaum hinaus. Die brutale Schauerlichkeit des Fememördertums wird kaum gestreift, seine Hintergründe werden nur ganz oberflächlich abgeleuchtet. So muß die Wirkung ausbleiben. Das ist doppelt schlimm, weil derartig verpfuschter Stoff damit oft dem stärkeren Griff einer anderen wirksameren Bearbeitung auf lange hinaus entzogen wird.

Otto Matthies als Sladek

Die Schauspieler der «Aktuellen Bühne» im Lessing-Theater blieben unter Erich Fischs Regie farblos. Otto Matthies stotterte das Gymnasiastlein Sladek herunter, eckig, nervös, ziemlich hilflos. Aber vielleicht kam er gerade dadurch der psychopathischen Verwirrtheit dieser an Lebensechten Figur nahe. Von völkischen Versammlungen geholt schienen Willi Normann und Heinrich Gretler. Max Schreck gab eine zweite Auflage seiner Sveck-Kopie, die er seiner Zeit in Lampels «Giftgas über Berlin» gestartet hatte.

M. G.

‹Tempo. Berliner Abendzeitung›, 2. Ausgabe vom 14. Oktober 1929. [Rezension von] M[anfred] G[eorg]: «Schwarze Reichswehr auf der Bühne. Ein politisches Stück von Oedön Horvâth» [nicht in Krischke, 1991]

Berlin, **Lessingtheater,** Friedrich-Carl-Ufer 1 (heute Kapelle-Ufer). Fotografie, 1928.

1933: 44,5% der Wählerschaft bei den Reichstagswahlen) deutlich von einer gegenläufigen Tendenz.

In dieser brisanten politischen Situation konnte es leicht geschehen, daß Kritiker wie Manfred Georg, der Rezensent des ‹Tempo›, den «Sladek» als hinter ihren Erwartungen zur zeitgeschichtlichen Dimension zurückbleibend empfanden. Horváths Talent als Bühnenautor hingegen wurde mehrfach gerühmt.

In der Figur des Sladek faßte Horvath Stimmungen zusammen, die von Orientierungslosigkeit zu Radikalismen pendeln:

SLADEK *In der Natur wird gemordet, das ändert sich nicht. Das ist der Sinn des Lebens, das große Gesetz. Es gibt nämlich keine Versöhnung. Die Liebe ist etwas Hinterlistiges. Liebe, das ist der große Betrug. Ich hab keine Angst vor der Wahrheit, ich bin nämlich nicht feig.*
SCHMINKE *Ich auch nicht. [...]*
SLADEK *Du denkst nämlich immer daran, das ganze Menschen-*

Wiederholt machte Horváth deutlich, wie sehr sich seine Generation von der, die den Ersten Weltkrieg ausgelöst und getragen hatte, unterscheide:

Wir, das heißt: wir, die sogenannte Nachkriegsgeneration, die wir schreiben, hören es immer wieder: «Ihr habt keine Seele, ihr schreibt aber erschreckend gut, ihr seid kalt.» [...] Danke. Wir nehmen das zur Kenntnis. Wir wissen es, daß wir präziser uns ausdrücken, als die Vorkriegsquatscher. Wir haben die gefallene Kriegsgeneration, unsere älteren Brüder, ersetzt und gehen weiter. [...]
Wir sind materialistisch geschult.
An die Seele glauben wir nicht, weil wir an das «Opfer» nicht glauben.

[Horváth, «Sie haben keine Seele», 1930, kA 11, 193]

geschlecht zu beglücken. Aber das wird es nie geben, weil doch zu guter Letzt nur ich da bin. Es gibt ja nur mich. Mich, den Sladek. Das Menschengeschlecht liebt ja nicht den Sladek. Und wie es um den Sladek steht, so geht es den Völkern. Es liebt uns zur Zeit niemand. Es gibt auch keine Liebe. Wir sind verhaßt. Allein.
SCHMINKE Was verstehst du unter dem Wir?
SLADEK Das Vaterland.
SCHMINKE Was verstehst du unter Vaterland?
SLADEK Zu guter Letzt mich. Das Vaterland ist das Land, wo man geboren wird und dann nicht heraus kann, weil man die anderen Sprachen nicht versteht. Nämlich alle Theorien über den sogenannten Marxismus, die kommen für mich heut nicht in Betracht, weil ich selbständig denken kann.
SCHMINKE spöttisch: Du denkst zu selbständig.
SLADEK Man muß. Man muß. Es kann ja sein, daß mal wieder alle armen Leut gegen die Reichen ziehen, aber das ist, glaub ich, aus. Sie haben ja viele Rote erschlagen. Damals hab ich ein Lied gehört, daß das Herz links schlägt, aber es gibt ja kein Herz, es gibt nur einen Muskelapparat. Bist du für diese Republik?
SCHMINKE Das ist noch keine Republik, das wird erst eine.
SLADEK Das ist nichts und wird nichts, weil es nämlich auf einer Lüge aufgebaut ist.
SCHMINKE Auf welcher Lüge?
SLADEK Daß es eine Versöhnung gibt.
SCHMINKE Wenn es keine Versöhnung gäbe, so müßte man sie erfinden. [...]
SLADEK In der Natur wird gemordet, das ändert sich nicht.
SCHMINKE Heute ist allerdings überall nur Blut und Dreck.
SLADEK Ich denk nicht an morgen. Ich leb ja vielleicht nur heut. Heut sind alle Staaten gegen uns. Sie drücken uns zusammen. Weil wir wehrlos sind, das ist dann immer so. Es würde nichts schaden, wenn noch einige Millionen fallen würden, wir sind nämlich zu viel. Wir haben keinen Platz. Wir verbreiten uns, als hätts keinen Weltkrieg gegeben. Es wird bald alles eine Stadt, das ganze deutsche Reich. Wir brauchen unsere Kolonien wieder, Asien, Afrika – wir sind wirklich zu viel. Schad, daß der Krieg aus ist!
SCHMINKE Du wagst es zu bedauern, daß der Krieg aus ist?
SLADEK Wieso?
SCHMINKE Bist du ein Mensch?
SLADEK Ich bin ein Mensch, es ist aber immer Krieg.
SCHMINKE Es gibt auch Frieden.
SLADEK Ich erinner mich nicht daran. [...]
SCHMINKE Man sollt jede Armee verraten, du Soldat! Er will rasch ab.
SLADEK ruft ihm nach: Du bist ein sogenannter Idealist, du Schuft!

[Horváth, Sladek, der schwarze Reichswehrmann, 1929, kA 2, 99 ff]

72

Der Roman spielt im Münchner Kleinbürgermilieu rund um die Schellingstraße während der Weltwirtschaftskrise 1929. Mit der Distanz des ironisch beobachtenden, kaum tangierten Diagnostikers schaut und hört Ödön von Horváth seinen Figuren zu. Er zeichnet in vielen Details und Anekdoten auf, was sie denken, wie sie fühlen, wonach sie sich sehnen, wovor sie Angst haben, was sie aus der Bahn geworfen hat. Stenotypistinnen, Hausangestellte, Kellner, Autoverkäufer, gescheiterte Künstlerexistenzen, Arbeitslose, Bohemiens, kleine Schieber und Betrüger bilden das Personal in einem Spießerszenario.

Der Roman erschien 1930 im Propyläen-Verlag Berlin mit einem Schutzumschlag von Olaf Gulbransson. Er besteht aus drei Teilen: «Herr Kobler wird Paneuropäer» (Teil 1) erzählt von den Reiseerlebnissen des Autoschiebers Alfons Kobler auf seiner Reise von München zur Weltausstellung in Barcelona. «Fräulein Pollinger wird praktisch» (Teil 2) zeigt den Weg der arbeitslosen Angestellten in die Prostitution. In «Herr Reithofer wird selbstlos» (Teil 3) rettet der arbeitslose Kellner Eugen Reithofer Anna Pollinger, indem er dem ehemaligen Büromädchen eine Stelle als Schneiderin in Ulm vermittelt.

Inflation, Wirtschaftskrise und Arbeitslosigkeit bedrohen diese «kleinen Leute». Ihr mühsam erspartes Geld ist nichts mehr wert. Sie verdienen kaum noch mehr als die von ihnen verachteten Arbeiter. Deshalb sehnen sie sich zurück nach «besseren» Zeiten, wo sie noch wer waren und wo feststand, was sich gehört. Für den wirtschaftlichen Niedergang machen sie «die Roten» und «die Juden» verantwortlich. Antisemitische und chauvinistische Parolen fallen bei ihnen auf fruchtbaren Boden. Sie rufen nach dem starken Mann, der mit harter Hand durchgreift und dafür sorgt, daß sie wieder wer sind. Die «Spießer» träumen vom angenehmen Leben ohne Sorgen. Vor dem tristen Alltag ergreifen sie die Flucht in Vergnügungsparks. Kino, Groschenromane und Werbung sind Inspirationsquellen ihrer Lust am schönen Schein. Sie wollen etwas «Besseres» sein und sind ständig auf der Suche nach dem schnellen Geld.

Grete Fischer, Mitarbeiterin im Ullstein Verlag, interpretierte Horváths Spießer so:

Seine Gegnerschaft richtete sich gegen den engherzigen, engstirnigen Philister, der an allem Verderb schuld ist, weil er nicht willentlich böse genug ist, um als Gefahr erkannt und bekämpft zu werden. Diese Feindschaft ist gegenseitig und widerstrebt allem guten Willen, sich wenigstens oberflächlich auf eine freundliche Basis zu stellen. Der Spießer haßt uns eher noch mehr, wenn wir versuchen, gefällig zu sein. Er spürt, daß er nur geduldet ist, und man bringt im besten Fall eben seine Schlechtigkeit ans Licht.

[Grete Fischer, in: Materialien zu Ödön von Horváth, 32]

Ödön von Horváth, 1931.
Fotografie Sonja Solnoitz, Berlin.

Der Spießer ist bekanntlich ein hypochondrischer Egoist, und so trachtet er danach, sich überall feige anzupassen und jede neue Formulierung der Idee zu verfälschen, indem er sie sich aneignet.

Wenn ich mich nicht irre, hat es sich allmählich herumgesprochen, daß wir ausgerechnet zwischen zwei Zeitaltern leben. Auch der alte Typ des Spießers ist es nicht mehr wert, lächerlich gemacht zu werden; wer ihn heute noch verhöhnt, ist bestenfalls ein Spießer der Zukunft. Ich sage «Zukunft», denn der neue Typ des Spießers ist erst im Werden, er hat sich noch nicht herauskristallisiert.

[Horváth, Vorwort zu Der ewige Spießer, 1930, kA 12, 129]

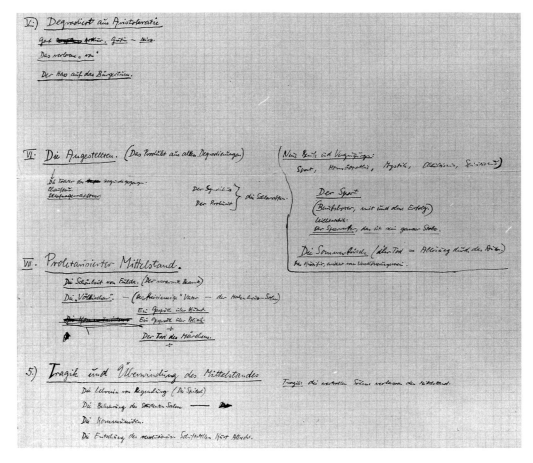

Ödön von Horváth: **«Mittelstand».** Handschrift. Ausschnitt. Die letzte einer mehrseitigen Übersicht gesellschaftlicher Schichten zum geplanten Roman «Der Mittelstand». Der Autor gruppiert folgende Abschnitte:

1. Allgemeiner Überblick
2. Die vorletzte Gestalt des Mittelstandes (1890–1918)
3. Der Zusammenbruch des alten Mittelstandes durch die Gewalten: Krieg, Inflation, Stabilisierung, Rationalisierung; die Errungenschaften der Technik; Revolution der Frau
4. Die neuen (werdenden oder Übergangs-) Formen des Mittelstandes:

Überbleibsel aus der Schinderzeit [der Zeit der Industrialisierung] (u. a. Arbeiterschaft);

Aufstieg aus dem Proletariat;

Überbleibsel aus dem alten Mittelstand (u. a. Gewerbe, ‹freie› Berufe, die Intellektuellen, Studenten);

Degradiert aus Bourgeoisie (u.a. Universitätsprofessoren);

Degradiert aus Aristokratie;

Die Angestellten; proletarisierter Mittelstand
5. Tragik und Überwindung des Mittelstandes

Horváth hat die drei Begriffe «Spießer», «Kleinbürgertum» und «Mittelstand» in Skizzen, Essays und der Vorbemerkung zum Roman «Der ewige Spießer» zu definieren versucht. Als «Mittelstand» bezeichnete er eine neue Klasse zwischen «Proletariat» und «Kapital», die durch eine spezifische Denk- und Verhaltensweise charakterisiert wird, in der Unsicherheit und Ungesichertheit dominieren. Seine Definition von «Kleinbürgertum» orientierte sich an dieser Schicht.

Unter «Spießer» verstand er eine Person mit bestimmten psychischen und charakterlichen Eigenschaften quer durch alle Gesellschaftsschichten und Bewußtseinslagen.

«Seine Frauenfiguren waren fast immer positiv. Nur die Männer sezierte er ziemlich. Vielleicht war es das weibliche und männliche Prinzip in ihm selbst, wobei ihm die männliche Komponente mehr Schwierigkeiten bereitete», so charakterisierte die Schauspielerin Luise Ullrich in ihren Memoiren Horváths Intention.

Ein «Anwalt der Frauen» war Horváth dennoch nicht, denn er hatte nicht viel Vertrauen in ihr Selbstbewußtsein und in ihre Kraft, sich ein eigenes – von Männern unabhängiges – Leben zu schaffen. Manchmal läßt er Frauen in Momenten der totalen Verzweiflung und Einsamkeit für Augenblicke aus der allgemeinen Verlogenheit heraustreten und ihre eigene Lage erkennen. In solchen Momenten traut Horváth den Frauen eher noch als den Männern zu, eine Welt zu schaffen, in der Männer und Frauen als gleichberechtigte Partner das Leben gemeinsam meistern.

Vier Angestellte einer technischen Firma in München. Fotografie, 1920er Jahre.

Zu Ende des 19. Jahrhunderts entstand eine neue gesellschaftliche Schicht: die Angestellten. Vor allem Frauen drängten in die Büros und Geschäfte. Horváth interessierte sich für die Mentalität dieser Menschen. Viele auch der gering qualifizierten Angestellten orientierten sich am Bürgertum und grenzten sich bewußt von den handarbeitenden Arbeitern ab.

BARCELONA - 51

INTERIOR DE LA PLAÇA DE BRAUS "MONUMENTAL"
INTERIOR DE LA PLAZA DE TOROS "MONUMENTAL"

Zerkowitz

Ödön von Horváth an Katharina Leitner,
Ansichtskarte aus Barcelona vom 22. September
1929, Bild- und Textseite. Privatbesitz.
Bildseite: «Interior de la Plaza de Toros ‹Monu-
mental›».
Fotografie Adolfo Zerkowitz, Barcelona.
Im «Ewigen Spießer» verarbeitete Ödön von Hor-
váth eigene Eindrücke, die er auf der Fahrt zur
Weltausstellung nach Barcelona gesammelt hatte.
Der Text der Karte lautet:
Barcelona, 22. Sept. 29
Liebe Kathl, – alsdann bin ich hier. Es ist
nicht gerade gemütlich hier, aber das Bier ist
ähnlich, wie in Bayern. Auf der Fürstalm.
Hab grad an Stierkampf gesehn. Abscheu-
lich. Eckelhaft. Ich fahr auch in 2 Tag wie-
der nach Marseille. Nach Frankreich. Es ist
halt doch anders.
Herzlichst! Dein Ödön

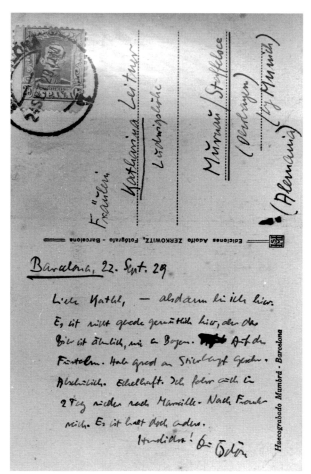

Ödön von Horváth: **«Der ewige Spießer».** Berlin, Propyläen Verlag, 1930.
Schutzumschlag des Buchs nach einem Entwurf von Olaf Gulbransson

Ein Rezensent schrieb:

Horváth ist ein sehr witziger Erzähler, ein satirischer Beobachter der mittleren Gemeinheiten der mittleren Existenzen unserer mittleren Großstädte. Er erzählt innerhalb ganz einfacher Fabeln eine Fülle reizender, manchmal grotesker, scharf und treffend beobachteter, immer lustiger Anekdoten. Er lockert die Schriftsprache durch weitgehende Benutzung des Dialekts auf, was ihm manche sprachliche Lässigkeit erlaubt.

[Hermann Kesten, in: ‹Die literarische Welt›, Berlin, 26. Juni 1931, 7. Jg., Nr. 26, in: kA 12, 322]

Titelseite mit einer **Widmung an den Schauspieler Albert Hoerrmann.** Sie lautet:
Dem Herrn Albert Hoerrmann* zwecks freundlicher Erinnerung an seinen Ödön Horváth
* Der Obige kriegt dieses Romanwerk nur deswegen, weil es ihm gar so schwer fällt, mein[en] lieben ordinären Karl [in «Italienische Nacht»] zu verkörpern. In diesem Sinne. Und nicht anders. Berlin März 1931

Ein lustiger Roman vom Dichter
der „*Italienischen Nacht*":

ÖDÖN HORVATH

Der ewige Spießer

Ein Bild des Spießers von morgen. Von ursprünglicher Komik ist es, wie Horváths Helden zu Verhältnissen und Problemen Stellung nehmen: Herr Kobler zu Paneuropa, Fräulein Pollinger zu ihrer Arbeitslosigkeit und Herr Reithofer zum Altruismus. Das Buch erschien im Propyläen-Verlag, Preis broschiert 3 M, in Leinen 4 M 50

Werbung für den Roman «Der ewige Spießer» aus dem Programmheft zur Uraufführung von «Italienische Nacht», 20. März 1931 im Theater am Schiffbauerdamm, Berlin.

Es war einmal ein Fräulein, das hieß Anna Pollinger und fiel bei den besseren Herren nirgends besonders auf, denn es verdiente monatlich nur hundertundzehn RM [Reichsmark] und hatte nur eine Durchschnittsfigur und ein Durchschnittsgesicht, nicht unangenehm, aber auch nicht hübsch, nur nett. Sie arbeitete im Kontor einer Autoreparaturwerkstätte, doch konnte sie sich höchstens ein Fahrrad auf Abzahlung leisten. Hingegen durfte sie ab und zu auf einem Motorrad hinten mitfahren, aber dafür erwartete man auch meistens was von ihr. Sie war auch trotz allem sehr gutmütig und verschloß sich den Herren nicht.

[Horváth, Das Märchen vom Fräulein Pollinger, kA 11, 124]

In diesem Volksstück vertreiben sich die Parteimitglieder des fortschrittlichen «Republikanischen Schutzverbandes» die Zeit mit Kartenspielen und organisieren eine harmlos-sentimentale «Italienische Nacht» mit Tanz und Theater, während die Ortsgruppe der Faschisten mit Geländeübungen, militärischen Aufmärschen und einem «Deutschen Tag» zum Kampf gegen die Demokratie rüstet.

Der Markt Murnau war Vorbild für die «süddeutsche Kleinstadt», in der das Stück spielt. Mit seinen knapp 3000 Einwohnern – vorwiegend Handwerker, Geschäftsleute, höhere Beamte, Pensionisten – lieferte er dem Schriftsteller Charaktere und echte Kleinstadtatmosphäre. Die Zeit der Inflation und Wirtschaftskrise prägte die Schicht, die die Entwicklung des Nationalsozialismus maßgeblich beeinflußte: Angestellte und kleine Leute. Sie wollte Horváth auf die Bühne bringen. Den Zeitkritiker Horváth interessierte, warum gerade sie dem sich rasch ausbreitenden Nationalsozialismus nichts entgegensetzten, warum gerade sie für dessen Verlockungen so anfällig waren; und wie die Funktionäre jener Partei aussahen, die diese Entwicklung vielleicht hätten verhindern können.

Dafür und als «Hochburg des Nationalsozialismus» bot Murnau reiches Anschauungsmaterial. Adolf Hitler hielt in Murnau bereits im Mai 1923 eine bejubelte Rede vor 2000 Zuhörern. Überdurchschnittlich viele Murnauer wählten zwischen 1928 und 1933 die NSDAP – aber auch Reiche bewunderten diese Partei, wie die Mäzene Hitlers in Uffing an der anderen Seite des Staffelsees.

Die Uraufführung des Stücks «Italienische Nacht» fand in Berlin unter der Regie Francesco von Mendelssohns statt. In Murnau ahnte kaum jemand, daß Horváth Murnauer Stoffe auf die Berliner Bühne brachte. Und Gabriele Münter, die Malerin und Künstlerfreundin aus Murnau, die sich «Italienische Nacht» am 26. März 1931 anschaute, wird es den Murnauern kaum verraten haben.

Carl Zuckmayer gratulierte Horváth euphorisch:
Der große Reiz des Stückes liegt für mich vor allem in der bezaubernden Leichtigkeit und Echtheit der Dialoge, deren Verknüpfungen und geistige Hintergründe ebenso sicher wie absichtslos, unaufdringlich, spürbar sind, – und in der Luft zwischen den Menschen, der Lebensdichtheit der Atmosphäre. [...] Ihr Weg ist richtig, er führt zu neuer Menschengestaltung, zu neuer Lebensdeutung, zum neuen deutschen Drama. Ich beglückwünsche Sie dazu!
[Krischke, *Ödön von Horváth. Kind seiner Zeit*, 93]

Horváths Erfolge in diesem Jahr waren groß: Zu zwei Theaterproduktionen gesellte sich die Zuerkennung des Kleist-Preises im Oktober 1931. Carl Zuckmayer hatte ihn dafür nominiert.

Ödön von Horváth: «**Italienische Nacht**». Berlin, Propyläen-Verlag, 1931. Einband der broschierten Buchausgabe, gestaltet von «Benelen».
Zuerst erschien eine als «unverkäufliches Manuscript vervielfältigte», hektographierte Ausgabe für die Bühnen im Arcadia-Verlag. Die Buchausgabe im Propyläen-Verlag, ebenfalls ein Verlag des Ullstein-Konzerns, kam hinzu, deren Auslieferung am 4. Juli 1931 begann.

Murnau, Denkmal König Ludwigs II. Ansichtskarte des Gebirgs-
trachten-Vereins Murnau, um 1900.

Die Anlage wurde 1894 zu Ehren des bayerischen Königs Ludwig II. errichtet, der am 13. Juni 1886 im Starnberger See ertrunken war. Sie ist Vorbild für das «Denkmal des ehemaligen Landesvaters» in «Italienische
Nacht», dessen Kopf zwei Burschen mit roter Farbe bemalen.

Murnau, Mädchen-Reigen. Unbezeichnete Fotografie, 1920er Jahre.
Anregung für den Auftritt der «herzigen Zwillingstöchterchen unseres Ka-
meraden Leimsieder», die einen «affektierten Kitsch» tanzen, «betitelt
Blume und Schmetterling!»

NSDAP marschiert in der Murnauer Hauptstraße. Fotografie, 1930er
Jahre. Eine Regieanmerkung Horváths lautet: «Eben zieht eine Abteilung
mit Fahnen, Musik und Kleinkalibern vorbei [...]»

Mitglieder des «Vereins für das Deutschtum im Auslande», Ortsgruppe
Murnau. Fotografie, Murnau, 1928.
Im Jahr 1927 zählte die Ortsgruppe Murnau dieses Vereins, der den Kolo-
nialismus verherrlichte, 99 Erwachsene und 90 Schüler. Hinten rechts: der
ehemalige Major Pöppl in «Südwest-Uniform». Er stand Modell für den
Major in «Italienische Nacht». Adele verteidigt ihren Mann, den Stadtrat
Ammetsberger, mit folgenden Worten an den Major in Uniform:
Halten Sie Ihr Maul! Und ziehen Sie sich mal das Zeug da aus, der Krieg ist
doch endlich vorbei, Sie Hanswurscht! Verzichtens lieber auf Ihre Pension
zugunsten der Kriegskrüppel und arbeitens mal was Anständiges [...]
[Horváth, Italienische Nacht, 1931, kA 3, 123]

Ödön von Horváth: «**Italienische Nacht. Volks-stück**». Uraufführung am 20. März 1931 im Theater am Schiffbauerdamm, Berlin.

Szenenfotografie:

Fritz Kampers (Martin), Berta Drews (Anna).

Probenfotografie:

Albert Hoerrmann (Karl), Trudi Moos (sie spielte nicht in den endgültigen Aufführungen), Fritz Kampers (Martin).

Ödön von Horváth: **«Italienische Nacht. Volksstück».** Erstaufführung des
Gastspiels am 4. Juli 1931 am Raimund-Theater, Wien, Regie Oskar Sima.
Probenfotografie: Hans Olden (Karl), Liselott Medelsky (Leni), Oskar
Sima (Stadtrat), Eduard Loibner (Wirt).
Besetzungszettel der Wiener Aufführung am 5. Juli 1931 im Raimund-
Theater.

Oskar Sima, der für die Aufführungen in Wien an die Stelle Mendelssohns als Regisseur trat, veränderte das Stück ins Unpoliti-
sche; er spielte nur sechs Bilder statt der ursprünglichen sieben
und glättete. Die Wiener Presse reagierte daher auch viel freundlicher und charakterisierte das Werk eher als politische Farce denn
als ein Bild der harten Gegensätze. Die Figuren verraten sich vor
allem durch ihre Sprache. Sie sagen nicht das, was sie denken. Und
sie verstehen nicht das, was sie sagen.

Ferner: der Mensch wird erst lebendig durch die Sprache.

*Nun besteht aber Deutschland, wie alle übrigen europäi-
schen Staaten zu neunzig Prozent aus vollendeten oder verhin-
derten Kleinbürgern, auf alle Fälle aus Kleinbürgern. Will ich
also das Volk schildern, darf ich natürlich nicht nur die zehn
Prozent schildern, sondern als treuer Chronist meiner Zeit, die
große Masse. Das ganze Deutschland muß es sein!*

*Es hat sich nun durch das Kleinbürgertum eine Zersetzung
der eigentlichen Dialekte gebildet, nämlich durch den Bildungsjargon. Um einen heutigen Menschen realistisch schildern zu
können, muß ich also den Bildungsjargon sprechen lassen.*

[Horváth, Gebrauchsanweisung, 1932, kA 11, 219]

Ich gehöre keiner Partei an [...]. Nach meiner Ansicht wurden die Biergläser von den Nationalsozialisten geworfen.

[Horváth vor Gericht am 20. Juli 1931]

Am 1. Februar 1931 brachte Ödön von Horváth Freunde zum Bahnhof und kehrte dann in der Gaststätte Kirchmeir ein, wo die Sozialdemokratische Partei Deutschlands (SPD), Ortsgruppe Murnau, eine öffentliche Versammlung zum Thema «Demokratie oder Diktatur» abhielt. Hauptredner war Erhard Auer, der Vizepräsident des Bayerischen Landtages. Horváth wurde Augenzeuge einer massiven Schlägerei zwischen sozialdemokratischen Reichsbannerleuten und Nationalsozialisten. Viele von letzteren waren mit Bussen und mit der Bahn aus der Umgebung angereist mit dem Auftrag, diese Versammlung zu sprengen. 26 Personen wurden zum Teil erheblich verletzt. Der angerichtete Sachschaden belief sich auf 2.800 Reichsmark.

Am 20. Juli 1931 fand vor dem Amtsgericht Weilheim ein Prozeß gegen 33 Versammlungsteilnehmer wegen Landfriedensbruchs statt. Unter den Angeklagten: 26 Nationalsozialisten, darunter mehrere alteingesessene Murnauer Bürger, die Horváth vom Stammtisch her kannte. Von Anfang an Mitglieder der NSDAP, schwammen sie mit der Partei nach oben. Die Nationalsozialisten wurden von hochkarätigen Anwälten vertreten, unter ihnen Dr. Hans Frank, Hitlers Rechtsberater und späterer «Generalgouverneur» des besetzten Polen. Unter den 50 Zeugen befand sich Ödön von Horváth, der mit seiner offenen, kritischen Aussage viel riskierte. Er belastete mit seiner beeidigten Aussage am 20. Juli 1931 die NSDAP-Mitglieder schwer und bezog damit eindeutig Stellung gegen die nationalsozialistische Bewegung.

Der Prozeß endete am 1. August 1931 mit dem Freispruch fast aller Nationalsozialisten. Die wenigen Verurteilten gingen in die Berufung. Vor dem Landgericht München II bekräftigte Horváth Ende Oktober 1931, er habe den «bestimmten Eindruck gehabt, daß die Schlägerei von den Nationalsozialisten planmäßig vorbereitet war». Das Revisionsverfahren endete mit einem Freispruch aller Nationalsozialisten. Horváths Ansehen in Murnau allerdings war endgültig verspielt. Nur noch wenige Freunde hielten zu ihm.

Ödön von Horváth. Porträtfotografie S. Wagner, Wien, 1931.

Plakat. Einladung der Sozialdemokratischen Partei Deutschlands, Ortsgruppe Murnau, zu einer «Volksversammlung».
Die zunächst für Sonntag, den 25. Jänner 1931 geplante Veranstaltung fand eine Woche später am 1. Februar 1931 statt.

Ich schreibe nichts gegen, ich zeige es nur – ich schreibe auch allerdings nie für jemand, und es besteht die Möglichkeit, daß es dann gleich «gegen» wirkt.

Ich habe nur zwei Dinge gegen die ich schreibe das ist die Dummheit und die Lüge. Und zwei wofür ich eintrete, das ist die Vernunft und die Aufrichtigkeit.

[Horváth, [Mutmaßliche Weiterführung der Fassung B «Randbemerkung» zu «Glaube Liebe Hoffnung»]. In: Materialien zu «Glaube Liebe Hoffnung», 71]

Zur Sache:

Am Versammlungstage kam Fink zu mir und sagte, daß zu Haller
Leute gekommen sind, die die Versammlung sprengen wollen.
Fink redet viel und will sich immer wichtig machen. Ich war
in der Versammlung, als aber die Schlägerei losging, verließ
ich den Saal. Als ein Auto mit Reichsbannerleuten anfuhr,
sagte Engelbrecht:"Schaut, da kommen sie schon", daraufhin
sagte ich zu ihm:" Da werden noch mehr kommen, ihr seid ja
auch da". Wir waren der Ansicht, daß die Nationalsotialisten
die Versammlung sprengen wollten.

17. Zeuge: ges. beeidigt.

Zur Person:

O H o r v a t h   Ödön, 30 Jahre alt, led. Schriftsteller in
Murnau, c.g.n.

Zur Sache:

Am Tage der Versammlung war ich bis 1.40 Uhr am Bahnhof. Als
um 1.10 Uhr die beiden Züge aus Richtung Garmisch und Weilheim kamen, stiegen etwa 60 - 70 junge Leute aus, die ich
später als Nationalsozialisten erkannte. Am Bahnhof stand
auch Engelbrecht im Warteraum 1. u. 2. Klasse und schaute durch
die Glastüre hinaus auf die Kommenden. Ich habe mich gewundert,
daß Engelbrecht nicht am Bahnsteig stand. Vom Bahnhof aus ging
ich mit den jungen Leuten in den Kirchmaiersaal und setzte mich
an einem Tisch in der Nähe des Musikpodiums, wo ich bis zum
Schluß der Versammlung blieb. An meinem Tisch sassen auch Reichsbannerleute und ich hörte da zum erstenmal, daß die Versammlung von den Nationalsozialisten gesprengt werden soll. Ich
kann nicht sagen, ob auf den Plakaten freie Diskussion zugelassen war. 1/4 Stunde vor Beginn der Versammlung kam der
Zug 13 und verteilte Flugblätter und die"Münchener Post". Der
Zug 13 verließ dann wieder den Saal und erst gegen Ende der
Rede des Herrn Auer sah ich wieder ca. 14 Leute des Zugs 13.
Die Gendarmerie stand hauptsächlich am Büfett. Auf dem Musik-
podium stand ein Nationalsozialist, der während der Rede des
Herrn Engelbrecht Unterstützungsrufe machte, derselbe wurde
auch von den Reichsbannerleuten zurechtgewiesen. Am Tische des
Herrn Engelbrecht stand ein Herr, der während der Rede des
Herrn Auer Zischenrufe machte. Was er rief, weiß ich nicht.
Er wurde von Herrn Fink angesprochen. Die Rede des Herrn Engelbrecht war nach meinem Empfinden sehr provozierend. Engelbrecht sagte, daß die Jacken der Reichsbannerleute von Skla-
rek bestellt wurden. Seine Rede klang mit einem "Heil Hitler"
aus, Dann fingen die Leute das Singen an. Ich kannte das Horst-
Wessellied nicht, und als ich hörte, wie einige riefen:"Hände
hoch", erhob ich auch momentan die Hand. An der Fensterseite
und an der Seite, an der das Klavier stand, waren die meisten
Nationalsozialisten. Ich konnte sie daran erkennen, weil sie
beim Singen des Horst-Wessellieds die Hände erhoben hatten.
Engelbrecht hatte auch mit erhobener Hand gesungen. Sehr kurz
nach Beginn des Liedes stieg ein Mann auf einen Stuhl und bot
- nach meiner Ansicht durch seine Bewegungen mit den Armen-
Ruhe. Als dann die Schlägerei begann, drückte der Saalschutz

Gerichtsprotokoll der Zeugenaussage Ödön von Horváths im Saal-
schlachtprozeß, Revisionsverfahren, 31. Oktober 1931. 2 Seiten Typoskript, fol. 168v.

die Leute gegen die Fensterseite, damit dieselben durch die
Fenster hinaus konnten. Nach meiner Ansicht wurden die Biergläser von den Nationalsozialisten geworfen. Ein Nationalsozialist wollte mich mit einem Stuhl schlagen, er wendete sich dann
wieder von mir ab und schlug den Stuhl einem anderen auf den
Kopf. Ich habe nicht gesehen, daß Leute des Saalschutzes mit
Gummiknütteln oder Schlagringen zugeschlagen haben. Die Reichsbannerleute, die in meiner Nähe waren, haben sich hauptsächlich gewehrt. Am Schluß der Schlägerei, die höchstens 3 - 4
Minuten dauerte, konnte ich feststellen, daß das Reichsbanner
Verstärkung erhalten hatte. Im Saal war nach der Schlägerei alles zertrümmert. Sollten, wie mir soeben vorgehalten wird, im
hinteren Teil des Saales etwa 200 Mann gewesen sein, was ich
nicht schätzte, dann waren etwa 150 Nationalsozialisten darunter. Als später in der Post Engelbrecht zu mir kam, mußte
ich ihm sagen, daß ich mit einem Mann, der die Sprengung einer
Versammlung herbeiführte, nichts zu tun habe wolle.

Der Verteidiger Dr. Reiter stellte dann den Antrag, den Post-
halter Wagner in Murnau als Zeugen dafür zu laden, daß ihm
gegenüber der Zeuge Horvath erklärt hat: "Es ist aber so
schnell hergegangen, daß ich nicht sagen kann, wer angefangen
hat".

Der Staatsanwalt beantragte, den Antrag des Verteidigers Dr.Rei-
ter als unbehelflich abzulehnen.

Nach geheimer Beratung des Gerichts verkündete sodann der Vor-
sitzende folgenden

B e s c h l u ß :

Die Ladung des Zeugen Posthalters Wagner wird abgelehnt als unbehelflich, weil der Zeuge über eine Frage vernommen werden
soll, die durch die beeidigte Aussage des Zeugen Horvath bereits beantwortet ist.

18. Zeuge: ges, beeidigt.

Zur Person:

K i r c h m a i r   Ignaz, 60 Jahre alt, verh. Gastwirt in
Murnau, c.g.n.

Zur Sache:

Ich habe vom Büfett aus die Rede des Herrn Auer und die des
Herrn Engelbrecht angehört. Noch während der Rede des Herrn
Engelbrecht dachte ich mir, daß nichts Weiteres passieren wird.
Am Schluß der Rede des Herrn Engelbrecht hörte ich Heil-und
Pfuirufe und dann wurde das Horst-Wessellied angestimmt. Gleich
darauf ging die Schlägerei los. Wer angefangen hat, kann ich
nicht sagen. Es war noch keine Strophe des Liedes gesungen,
als die Rauferei begann. Ich sah, wie ein kleiner Mann in
der Nähe des Herrn Engelbrecht auf einen Stuhl stieg und Ruhe
bot, auch sah ich Biergläser fliegen, einige Gläser sind sogar
in das Büfett geflogen. Von welcher Seite und von wem das erste
Glas geworfen wurde, kann ich nicht sagen. Die Hauptschlägerei
spielte sich im Speisesaal ab. Die Reichsbannerleute drängen
die Menge hauptsächlich gegen die hintere Wand des Saales.

Gerichtsprotokoll der Zeugenaussage Ödön von Horváths im Saal-
schlachtprozeß, Revisionsverfahren, 31. Oktober 1931. 2 Seiten Typoskript, fol. 169r.

Horváth schrieb das Volksstück «Geschichten aus dem Wiener Wald» zwischen 1928 und Sommer 1931. In einer langen, nicht vollständig überlieferten Entstehungsgeschichte beschäftigte er sich mit Schicksalen von Kleinbürgern, Ausbruchsversuchen, kleinen Katastrophen. Unter dem Titel «Die Schönheit aus der Schellingstraße» dachte er sich ein Stück mit Musik und Tanz; später verlegte er die Szene aus München nach Wien und Umgebung – vielleicht war die Musik, die das ganz deutliche Lokalkolorit mitträgt, der Anlaß, vielleicht die Beliebtheit Wiens in Deutschland – bei leichter Exotik ist man sich doch nicht fremd. Im eben erfundenen Tonfilm wurde das Wienerische in Sujet und Schauspielern rasch zur beliebten Atmosphäre.

Das Stück war bei seiner Uraufführung am 2. November 1931 in Berlin ein großer Erfolg.

Es erzählt die Tragödie von Marianne, der jungen Frau, die aus ihren Zwängen ausbrechen will: Sie heiratet nicht den vorgesehenen biederen Gatten, sondern geht mit einem «Hallodri» (dem leichtfertigen Alfred) durch, der sie verläßt und das gemeinsame außereheliche «Kind der Schande» schlecht versorgt; Marianne, von ihrem Vater verstoßen und heruntergekommen, erhält nicht einmal von dem Priester, bei dem sie beichtet, Absolution; sie sieht ihre letzte Einkommenschance nur mehr als ungelenke Nackttänzerin, aber gerade dort wird sie von der gesamten Nachbarschaft, aus der sie ausbrechen will, entdeckt und bloßgestellt. Sie geht nach diesen Ausbruchsversuchen – erlösend reuig – in einem zweiten, resignierten Anlauf doch die Ehe mit dem emotionslosen Biedermann Oskar ein – ein bitteres Happy End.

Wieviel Zufall, wieviel Absicht auch dahintersteckte, Horváth stimmte die Szenerie und die Sprache auf das Wienerische ab. Bei aller Allgemeingültigkeit der Konflikte, die entwickelt werden, ist nicht nur durch den Titel, sondern ebenso durch die Wahl der Schauplätze, der Typen und Namen, und ganz besonders durch die dialektgefärbte Sprache eine deutliche Assoziation mit Wiener Verhältnissen der Jahre nach dem Ersten Weltkrieg beabsichtigt, ein vom Autor selbst erlebtes Ambiente. Es fallen zahlreiche Aspekte auf, die wienerische Inspiration belegen.

Zum Beispiel die Schauplätze: Horvath hatte zumeist – in der gegebenen Zeit insgesamt etwa sechs Monate – im 8. Wiener Gemeindebezirk gewohnt: bei seinem Onkel Josef Přehnal in der Piaristengasse, Ecke Florianigasse, und in einer Pension in der Lange Gasse.

Während die Piaristengasse von einer Straßenbahn befahren wurde, konnte die nahe Lange Gasse durchaus als «Stille Gasse» bezeichnet werden. In ihr standen (und stehen noch) zahlreiche niedrige Häuser aus der Zeit des Spätbarock und des Biedermeier, einstöckig, mit Hof, Garten und Hoftrakten, die kleinen wirt-

Spitz an der Donau, Wachau, Niederösterreich. Blick über die Radlbachgasse auf die Weinberge. Unbezeichnete Fotografie, Ausschnitt.

Ödön von Horváth: **«Geschichten aus dem Wiener Wald».** Berlin, Propyläen Verlag 1931. **Einband der Buchausgabe in Halbleinen.**

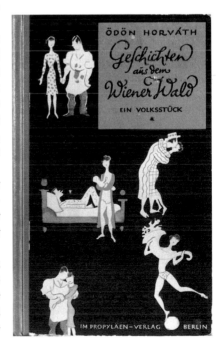

Wien 8, Tor des Hauses Lange Gasse 29. Unbezeichnete Fotografie, um 1910.

Johann Strauss: «Geschichten aus dem Wienerwald», op. 325. Titelseite des Erstdrucks: Wien, Spina 1868.

Wien, Grinzing. **Heurigengesellschaft** mit Musik. Fotografie, um 1935.

schaftlichen Betrieben Platz boten. Zumeist waren die damals rund hundert Jahre alten Häuser in heruntergekommenem Zustand; ihre Bewohner zählten zum Kleinbürgertum, das mit kleinem Gewerbe oder Geschäften ein ärmliches Dasein fristete. Gewohnt wurde im Hinterzimmer oder – im günstigeren Fall – im Stockwerk über den Geschäftslokalen.

Doch auch die neueren, mehrstöckigen Miethäuser mit ihrem protzigen historistischen Dekor hatten häufig eine kleinteilige Ge-

Ödön von Horváth: «**Geschichten aus dem Wiener Wald. Volksstück**».
Uraufführung am 2. November 1931 im Deutschen Theater / Komödie am
Kurfürstendamm, Berlin, Regie Heinz Hilpert, Bühnenbild Ernst Schütte.
Zwei **Szenenfotografien.**
Peter Lorre (Alfred), Carola Neher (Marianne).
Lucie Höflich (Valerie), Peter Lorre (Alfred).

schäftsebene. Auch hier waren Lokale von der Breite nur einer oder zweier Fensterachsen keine Seltenheit. Sie boten vom Altwarenhandel über die verschiedenenen Sorten Lebensmittel zum Friseur, zur Tabak-Trafik und zum einfachen kleinen Gasthaus die breite – und heute großteils verschwundene – Palette der Nahversorgung für die einfache Bevölkerung.

Die angrenzende Josefstädterstraße hingegen, eine der Verbindungen zur Innenstadt, war eine ‹gute› Geschäftsstraße, Adresse selbst des gehobenen Bürgertums. Horváth mag hier am Weg zur Schule gegangen sein, und im Haus Nr. 9 den «Zauberkönig» gesehen haben, ein Geschäft für Zauber- und Faschingsartikel. (Person und Schicksal des Besitzers dieses Ladens bis 1938 haben allerdings nichts mit der Figur im Stück zu tun.)

Jenseits aller Klischees wird realistisch die Atmosphäre wirtschaftlicher Enge und billiger Vergnügungen dramaturgisch geschickt eingesetzt: Heurigenlokale – sowohl in der Stadt wie in der Vorstadt, wo Gastgärten zur schönen Jahreszeit als Ziel von Ausflügen einluden – mit den Spezialitäten der Weine und der Heurigenmusik, die, instrumental oder gar gesungen, leicht für eine Stimmung zwischen Wehmut und Schicksalsergebenheit sorgen konnte. War ein Ausflug an einem arbeitsfreien Tag mit größerer sportlicher Aktivität angesagt, bot die Donau an ihren Ufern Platz zum «wild baden», was naturverbundener und obendrein auch noch sparsam war.

Die Bevölkerungsstruktur Wiens war wie die jeder Großstadt durch ausgiebige Zuwanderung charakterisiert. Die Provinz um die Stadt, Niederösterreich, und damit ein Teil des Donautals, genannt Wachau, bildete ebenso eine Herkunftsregion vieler «Wiener» wie Böhmen, Mähren, Ungarn oder Galizien. Damit ist ein starker provinzieller Charakter breiter Teile der Bevölkerung gegeben und zugleich der Gegensatz zwischen Verharren in der Tradition und Ausbrechen in Selbständigkeit.

Die alten Vorstädte, die die Innenstadt Wiens umgeben, zu denen die Josefstadt gehört, waren zu Beginn des 20. Jahrhunderts keineswegs so proletarisiert wie manche in weiterer Peripherie der Stadt gelegenen Außenbezirke. Das hier wohnende einfache Bürgertum war auf finanziell abgesicherte Solidität aus. Eine gewisse Bildung, das Hochhalten von Statussymbolen (wie etwa Klavier- oder Geigenunterricht) charakterisierte diese Schicht ebenso wie eine Vernachlässigung seelischer Werte: Moral dient dem Auftreten nach außen, nicht dem Ausbilden menschlicher Verhaltensweisen.

Diese Figuren Horváths stehen ihrem Schicksal mit einer gewissen naiven Hilflosigkeit gegenüber, werden mehr getrieben als daß sie in der Lage wären, ihr Schicksal zu gestalten, und schlagen dabei etwas ziellos um sich. Sie folgen Vorbildern, die durch

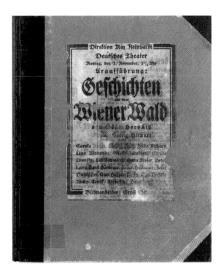

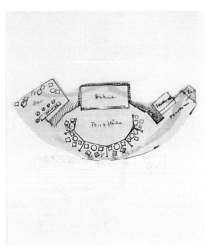

Soufflierbuch. Einband mit aufgeklebter Information zur Aufführung.

Regiebuch mit handschriftlichen Notizen und eingeklebten Zeichnungen zur Bühnengestaltung. S.90, Beginn der Szene im Maxim.

Heinz Hilpert (Mitte), der Regisseur von Horváths «Geschichten aus dem Wiener Wald», hier mit dem Kameramann Fritz Arno Wagner und Reinhart Steinbicker (gemeinsam mit Hilpert Regisseur des Ufa-Tonfilms «Liebe, Tod und Teufel»). Fotografie Ufa, Berlin, 1931.

Äußerlichkeiten definiert werden und sind sich selbst und ihrer Rolle entfremdet – etwa im Gegensatz zu selbstbewußten Arbeitern, die als kämpferische Proletarier eine für sie lebenswerte Welt aufbauen wollen.

Auch die Färbungen des Dialekts, der Umgangssprachen, basierte auf eigener Beobachtung des Autors. Trotz etlicher Einsprengsel nicht-wienerischer Ausdrücke ist der Identifikationsgrad hoch.

So konnte nicht ausbleiben, daß sich die Wiener Kritik, die sonst von Berliner Theaterpremieren distanzierter Kenntnis nahm, über «Geschichten aus dem Wiener Wald» hell empörte; ebenso, aber aus anders gelagerten Gründen, reagierte die nationale Presse Deutschlands. Dem Autor wurden ungeheuerliche Denunziation, Herabwürdigung und Verächtlichmachung der Wiener vorgeworfen.

In Berlin wurde das Stück 1931 36mal gespielt. (In Wien kam es 1948 zur ersten Aufführung; das Stück mißfiel selbst in einer stark gekürzten Version.) Weitere Produktionen an anderen Bühnen, die schon angekündigt worden waren, unterbanden die im Jänner 1933 an die Macht gekommenen Nationalsozialisten.

GESCHICHTEN AUS DEM WIENER WALD

Volksstück von Ödön Horváth

im Urteil hervorragender Berliner Kritiker
anläßlich der Uraufführung am Deutschen Theater, Berlin.

Julius Bab:

... Die Handlung hat den simplen Umriß alter Volksstücke, sie geht, bei bunter Episoden liebevoll verweilend, sehr langsam vorwärts, ist je auch gewiß zuweilen krasser und gröber als für den künstlerischen Zweck nötig war – aber sie steckt voller Talent! ... noch nie ist dem Autor eine ernsthafte Szene von so großem Stil gelungen, wie diese Großherzensszene: das arme Wiener Mädel im Beichtstuhl, das viele bereuen will, aber durchaus nicht sein Kind, das Kind, das doch sein Glück ist! Und das dann dasteht und mit rührend verzweifeltem Ernst in den Himmel fragt: „Lieber Gott, ich bin im achten Bezirk geboren und habe die Bürgerschule besucht, ich bin kein schlechter Mensch, hört du mich, was hast du mit mir vor, lieber Gott? — Es ist außer jeder Frage, daß der ein Dichter ist, der solche Szene schreiben konnte. — Hier ist viel mehr als Satire, als brutale Negation, hier ist ein echtes, sehr fruchtbares Gefühl für die leidende Kreatur laut geworden. Ein kämpferischer und aufstrebender Geist. Zukunft hat seinen Kleistpreis durchaus nicht an die Unrechten gegeben. — Es war ein ganz großer Theaterabend. Und wenn trotzdem einige Leute zischend ihren Ingrimm über die entscheidende Schärfe Horváths bekunden mußten, so werden das wohl Söhne und Enkel der Leute sein, die auch beim „Vierten Gebot", auch bei Hauptmanns „Sonnenaufgang" und ein wenig früher bei den „Räubern" gezischt haben. Die anderen klatschten lebhaft und taten recht daran.

Berliner Volkszeitung.

Oscar Bie:

Oedön Horváth, der Kleistpreisträger, ist nun in das Deutsche Theater eingezogen. Seine „Geschichten aus dem Wiener Wald" bestanden ihre Uraufführung sehr gut und erweckten, je weiter der Abend vorrückte, einen desto stärkeren Beifall. ... Immerhin, wenn ein Ausschnitt aus dem Volksleben mit auf gewärzten Gesprächen auf der Bühne sich abspielte, zeigte sich der Dichter von seiner besten Seite. Er hat scharf beobachtet und den Dialog sehr bodenständig durchgeführt. Von all den Lokalitäten, auf die sich die Szenen verteilen: der Landaufenthalt an der Wachau, die Wiener Straße mit dem Laden des ... Zauberkönigs, Spielwaren-händlers, der Traffik, die Böhemestube der wilden Ehe, die Landpartie mit den Fotografien, die Kirche mit dem Beichtvater, der Heurigengarten mit der tollen Sing- und Tanzlustigkeit Wiens mit dem ganzen Jubel aller dieser aufeinander gepferchten Schicksale und Menschen, die sich in Berauschtheit der Verschmelzung von Person und Milieu, wie man ihn selten in diesem Hause erlebt hat. Hier brach der Erfolg des Stückes durch und wird sich von Abend für Abend auf lange Zeit wiederholen.

Dresdner Neueste Nachrichten.

Bernhard Diebold:

... Der Dichter Horváth aber zeigt sich hier auf der Höhe einer Menschenkennerschaft und Wahrheitsliebe: Marianne wird sich nicht umbringen oder in heroischem Stolz auf Oskars Lebensversorgung verzichten. Sie, die Gott in der Kirche so innig und vergeblich um den Ausweg anruft; sie, die umsonst an Mann und Kind und wienerischen Familiensegen zu glauben wagte; ja Marianne resigniert, wird bürgerlich erweicht, tritt ein in ihres treuen Oskars Heim ... Bürgl. Glück herein.

Diese banale Geschichte der der Alltag. Aber der witzige Horváth souffliert den Alltag die Sprache ohne Walzer-Rhythmus. Man lacht so oft so viel trauriger Zoologie. Die Marianne, der Zauberkönig, die Trafikantin und die zeitlose Großmutter werden aus ihren Reden zur Figur. Ein neuer Wiener Volks-Mythus ist damit angehängt. Das Dichterische kommt aus der Konstellation der Bilder. Die Szene mit der blinden Pianistin, die trockene Liebesgespräch an der schönen blauen Donau, des Teufels Großmutter, die mit dem Stock die Kinderwiege stupst, — ha, das ist gesehen und gebildet ... Es ist ein großer Abend der deutschen Schauspielkunst. Es ist ein hoffnungsvoller Abend der deutschen Dichtkunst.

Frankfurter Zeitung.

Paul Goldmann:

... Namentlich die Heldin Marianne ist eine lebendige Gestalt. Der Vater, der Rittmeister und einige Episodenfiguren sind ebenfalls gut gezeichnet. Auch dramatische Begabung ist nicht zu verkennen. Es pulsiert Theaterblut in dem Stück, und manche Szene hat dramatischen Wurf. Oedön Horváth ist, namentlich wenn man sein Werk mit anderen Produkten heutiger deutscher Bühnenschriftstellerei vergleicht, zweifellos ein Talent.

Neue Freie Presse.

Erich Kästner:

... Das Deutsche Theater hat mit „Geschichten aus dem Wiener Wald" einen großen Erfolg zu buchen. Es ist einmal der Erfolg einer hinreißenden Aufführung, zum anderen ein Erfolg Horváths, des diesjährigen Kleistpreisträgers.

Horváth schrieb ein Wiener Volksstück gegen das Wiener Volksstück. Er übernahm die aus Filmen, Operetten und Dramen bekannten pensionierten Rittmeister, die süßen Mädel, die nichtsnutzigen Hallodri,

Lorre, Höflich, Richard, Neher, Heilinger, Moser

die familiensüchtigen Kleinbürger; er übernahm den Plüsch, aber er klopfte ihn aus, daß die Motten aufflogen und die zerfressenen Stellen sichtbar wurden. Er zeigte die Vorder- und die Kehrseite der überkommenen Wiener Welt. Er ließ diese Leute ihre Lieder singen, ihren plaudernden Dialekt sprechen, ihre durchwandern und neugu darüber hinaus die Faulheit, die Bosheit, die verlogene Frömmigkeit, die Giftigkeit und die Borniertheit, die hinter und in jenen marktgünstigen Eigenschaften stecken. Er zerstörte nicht nur das überkommene Wiener Figuren - Panoptikum, er gestaltete ein neues, echteres, außerdem.

Neue Leipziger Zeitung.

Alfred Kerr in einem Rückblick auf das Theaterjahr 1931:

Horváth: unter den Jungen das sonderlich leuchtende, reiche Geblüt. Köstliches quirlt in der Füllung. Einreihende sind haufenweis möglich: keiner gegen die Grundkraft eines lachenden Könners. Keiner gegen die Art, Gestalten zu sehn und zu tön. Keiner gegen das Verhältnis zwischen Bauwerk und Beiwerk. (Das Beiwerk schafft hier ein Bauwerk.)

Berliner Tageblatt vom 1. Januar 1932.

Alfred Kerr:

... Eine stärkste Kraft unter den Jungen, Horváth, umspannt hier größere Teile des Lebens als zuvor.

In den Stücken von einer Bergbahn, dann von einer schwarzen Reichswehr gab er Wirtschaftliches und Kämpferisches. In der himmlischen „Italienischen Nacht" den besten Festspaß dieser Läufte. Jetzt malt er ... ein ganzes Volk.

So umspannt er weit mehr als zuvor. Horváth ist ein ehrlicher Kopf mit einem Blick von heut. Einer der zu uns gehört. Ihr ergibt jeder Unterschied zwischen freundlich übertünchten Außen und dem verdammt hintergründigen Inneren.

Und da er kein Spielverderber ist: so malt er auch die lockend lieben Seiten und die böse gewinnende Dummheit dieser angenehm Zurückgebliebenen, mit ihren schwätzigen, nichtigen molleten Alltagssorgen. Und (neben der Schlamperei) die Grausamkeit alles menschlichen Geschicks, die noch auf so triebhaftes Behagen einer wabbligen Sippe niederfährt.

weil es eine Fülle von Karikaturen, die scharf und lebendig vor uns stehen, auf die Bühne bringt. Da ist zum Beispiel ein Rittmeister, den Paul Hörbiger prachtvoll spielt. Eine ganz typischen, altösterreichischen Figuren, die im heutigen Dasein wie anachronistische Kuriositäten wirken. Da sind der Schlächtermeister und sein Geselle, die direkt aus der Wiener Vorstadtgasse auf die Bühne des Deutschen Theaters gestiegen sind. Da ist vor allem der Zauberkönig, den Hans Moser spielt, mit der gewollten komischen Diskrepanz zwischen der äußeren Erscheinung des gemütlichen Wiener herzigen Vater, der seine gemütlichen Urwiener steckt. Und alle die anderen Wiener Figuren, von denen das Stück wimmelt, illustrieren in reichster Fülle den satirischen bunten Bilderbogen, der das Stück eigentlich ist. Großer Erfolg.

Neues Wiener Journal.

Kurt Pinthus:

... Ein außerordentliches und außerordentlich aufnahmebereites Publikum mußte an einem langen Abend erkennen, daß das vom Zackmayer und den Kleistpreis ausgezeichnete, deren Schatten über das österreichische hinaus in das sogenannte allgemein Menschliche fallen. 8-Uhr-Abendblatt.

Alfred Polgar:

... Ein Volksstück und die Parodie dazu. Aber es kann bei der Herstellung auch umgekehrt zugegangen sein, nämlich so, daß zuerst ein Ulk war, und daß der Dichter Oedön Horváth ihn erst später, im Zug der Arbeit verernstete. — Wie denn auch gewesen sei: es entstand eine bedeutsam undunkle Groteske, deren Schatten über das Österreichische hinaus in das sogenannte allgemein Menschliche fallen.

Das ganze bizarre Spiel ist von einer eiskalten Witzigkeit, in der auch das bißchen warmer Atem, das gelegentlich eine oder die ander Figur von sich gibt, sofort als frostiger Dampf niederschlägt. Die allseitige Begabung Oedön Horváths erweist seine „Geschichten aus dem Wiener Wald" aufwendig. Er zeicht scharf und gestaltet mit knappster Oekonomie der Mittel. Seine ... Wien das deutlich ist ein buntes menschlichen, sozialen Hintergrund, ohne daß dieser jemals aus dem Spiel verschwinde.

Die Weltbühne.

Franz Servaes:

... Horváth ist ein angestammter Menschenbeobachter mit starkem Theatersinn. Ganz lebensecht und zweifellos die beste Gestalt in Horváths Stück: eine fesche Wiener Tabaktrafikantin wie bereits reiferen Jahren, die ihre Verehrer wie die Handschuhe wechselt.

Leipziger Neueste Nachrichten.

Hans Siemsen:

... Oedön Horváth, der junge Autor, hat eben den Kleistpreis bekommen. Wie er mit diesem Stück beweist: mit Recht. Dieser Theaterabend ist einer der bisher wichtigsten. Dies bitter-böse Volks-Stück trifft im Ziel und so Theaterpublikums, der satt und amüsemensbereit, nur leichte Emotionen wünscht, gedankenfaul an „liebgewordenen" Klischees hängt, — mitten in den Kopf, ins Herz und in den Bauch.

Welt am Montag.

Nächste Aufführung:
Wien-Theater in der Josefstadt

Italienische Nacht
Ein Volksstück von
Ödön Horváth
Uraufgeführt im
Theater am Schiffbauerdamm,
Berlin

Nächste Aufführung:
Leipzig, Komödienhaus

Rudolph Lothar:

... Oedön Horváth ist ein Zeichner von scharfer künstlerischer Verwandtschaft hat. Ein brillanter Karikaturist, ein schonungsloser, bitter und bissig lachender Spötter. Das Stück hat Erfolgchancen in sich,

Kurz: eine junge Kraft mit starken Aussichten schrieb das alles. Stärker zwar im einzelnen als im Umriß. Doch ein Könner. Unter den Jungen ein Wert; ein Geblüt; im Bestand. Ansonst ist hier nah Zurückschrauben in die Fibelblümerkeit; neu in Saft. Und ein Reichtum.

Berliner Tageblatt.

Arcadia-Verlag, 10. Flugblatt von Februar 1932 mit Szenenfotografie,
Zeichnung und Zitaten aus Rezensionen zu Horváths Erfolgsstück.

93

Münchner Oktoberfest, «Eingang zu Carl Gabriel's Abnormitäten». Fotografie, 1925.
«Die dicke Elvira» schmückte das Eingangstor zu «Carl Gabriel's Abnormitätenschau», die seit 1925 auf dem Oktoberfest ihren festen Platz hatte. Gerade während der Wirtschaftskrise gaben viele «kleine Leute» den letzten Pfennig für ein bißchen Ablenkung vom tristen Alltag. Diese Attraktion bildete die Vorlage für die «Abnormitäten» im Stück «Kasimir und Karoline», z. B. in folgender Regieanweisung:
Der Mann mit dem Bulldoggkopf erscheint mit den übrigen Abnormitäten, der dicken Dame, dem Riesen, dem jungen Mädchen mit Bart, dem Kamelmenschen und den zusammengewachsenen Zwillingen.
[Horváth, Kasimir und Karoline. Volksstück [in 117 Szenen], 1932, kA 5, 97]

Das Volksstück «Kasimir und Karoline» spielt auf dem Oktoberfest in München während der Wirtschaftskrise. Das Herbstfest findet seit 1810 jährlich Ende September 14 Tage lang statt und geht auf die Feierlichkeiten anläßlich der Vermählung des Kronprinzen Ludwig mit der Prinzessin Therese von Sachsen-Hildburghausen zurück.

Auf dem Oktoberfest wird die Liebe zwischen der Büroangestellten Karoline und dem Chauffeur Kasimir – inmitten der Ringelspiele, Vergnügungsgeschäfte, Schnapsbuden und Bierzelte – auf eine harte Probe gestellt und scheitert letztendlich an der schlechten Wirtschaftslage. Denn Kasimir ist soeben arbeitslos geworden und Karoline glaubt, etwas Besseres verdient zu haben. Sie will sich amüsieren und lernt dabei eine Reihe «besserer Herren» kennen, während Kasimir seine trüben Gedanken im Rausch ertränkt. Doch der Traum vom schnellen Aufstieg ist für Karoline rasch zu Ende. Sie wird von den Männern verschachert und geht am Ende leer aus.

Ödön von Horváth zeigt, wie diese Menschen durch die wirtschaftliche Not in ihrem Alltagsleben und in ihrer Liebesfähigkeit geschädigt werden, ohne daß sie es merken. Er ist den Abgründen, die im Menschen selbst liegen, auf der Spur. Denn gerade Existenzängste und tägliche Degradierungen ziehen den Menschen den Boden unter den Füßen weg, reißen ihnen die Masken vom Gesicht und lassen Charakterzüge sichtbar werden, die in Zeiten der Stabilität und des wirtschaftlichen Aufschwungs nicht so deutlich zutage treten würden. Die «triviale Alltäglichkeit», den «kunstlosen Alltag» bringt Horváth auf die Bühne; er sucht das Leben im Kleinen, das Ungeheuerliche im Banalen.

Deshalb bringt er kleinbürgerliche Alltagsmenschen auf die Bühne, wie sie für die zwanziger Jahre typisch waren: Büro- und Hausangestellte, Chauffeure, Autoverkäufer, kleine Schieber und Betrüger, gescheiterte Existenzen. Im Oktoberfest, wo «der Dienstmann neben dem Geheimrat, der Kaufmann neben dem Gewerbetreibenden, der Minister neben dem Arbeiter» sitzt, konfrontiert er sie mit den Männern des aufstrebenden Reichtums und der überkommenen Macht.

«Kasimir und Karoline» wurde am 18. November 1932 als «Ernst Josef Aufricht-Produktion» im Schauspielhaus Leipzig uraufgeführt. Eine Woche später, am 25. November 1932, fand die Berliner Premiere in der selben Besetzung im Komödienhaus, Schiffbauerdamm 25, statt, beide Male unter der Regie von Francesco von Mendelssohn.

Von den rechtsradikalen Blättern abgesehen, erhielt das Stück ausgezeichnete Rezensionen; Alfred Kerr, Monty Jacobs, Kurt Pinthus, Herbert Ihering, Max Osborn, Bernhard Diebold, Julius Bab, Alfred Polgar und andere lobten weit mehr als sie kritisierten.

Münchner Oktoberfest. Das Verkehrs-Luftschiff «Graf Zeppelin» über der Festwiese, 1. Oktober 1929. Fotografie.

Im Stück verwandelt sich die hilflose Ohnmacht Kasimirs über seine Arbeitslosigkeit in Pessimismus. Als er den riesigen Zeppelin mit seinen Luxusreisenden an Bord über das Oktoberfest schweben sieht, ruft er wütend:

KASIMIR [...] Da fliegen droben zwanzig Wirtschaftskapitäne und herunten verhungern derweil einige Millionen! Ich scheiß dir was auf den Zeppelin, ich kenne diesen Schwindel und hab mich damit auseinandergesetzt – – Der Zeppelin, verstehst du mich, das ist ein Luftschiff und wenn einer von uns dieses Luftschiff sieht, dann hat er so ein Gefühl, als tät er auch mitfliegen – – derweil haben wir bloß die schiefen Absätze und das Maul können wir uns an das Tischeck hinhaun!

KAROLINE Wenn du so traurig bist, dann werd ich auch traurig.

KASIMIR Ich bin kein trauriger Mensch.

KAROLINE Doch. Du bist ein Pessimist.

KASIMIR Das schon. Ein jeder intelligente Mensch ist ein Pessimist.

[Horváth, Kasimir und Karoline. Volksstück [in 117 Szenen], 1932, kA 5, 70 f]

95

Ödön von Horváth: **«Kasimir und Karoline. Volksstück».**
Zwei Szenenfotografien von der Berliner Erstaufführung 1932.
53. Szene [Bei den Abnormitäten / Juanita das Gorillamädchen wird vom
Ausrufer vorgestellt, worauf sie die Barcarole aus Jacques Offenbachs
«Hoffmanns Erzählungen» singt]. Fotografie Zander & Labisch, Berlin.
68. Szene [Beim Wagnerbräu.] Hermann Erhardt (Kasimir), Blandine
Ebinger (Erna), Fritz Kampers (Merkl Franz). Fotografie Atlantic, Berlin.

Horváths Frauenfiguren verkörpern oft den Typ der kleinen Angestellten, einer Schicht, die am Anfang des 20. Jahrhundert gerade
im Entstehen ist. Diese Frauen gestalten sich mit dem wenigen
Geld, das sie selber verdienen, ein Leben nach ihren eigenen Vorstellungen. Rein materiell machen sie sich damit von den Männern
unabhängig, doch gesellschaftlich und emotional scheitern sie
allzu oft an den Gemeinheiten der Männer, die eigentlich nur das
eine wollen …

Unter einer Wiesenbraut versteht man in München ein Fräu-
lein, das man an einem Oktoberfestbesuch kennen lernt, und zu
dem die Bande der Sympathie je nach Veranlagung und Umstän-
den mehr oder weniger intimer geschlungen werden.

Meistens wird die Wiesenbraut vom Standpunkt des Herrn
aus gesehen – aber die Geliebte samt der Sehnsucht, die in der
Wiesenbraut leben, werden selten respektiert.

Oft will die Wiesenbraut nur lustig sein und sonst nichts, häufig will sie sonst auch noch etwas; nie aber denkt sie momentan materiell. Aber in der Wiesenbraut lebt häufig die Sehnsucht, daß es immer ein Oktoberfest geben soll; immer so ein Abend; immer eine Achterbahn, immer die Abnormitäten; immer Hippodrom im Kreise.

Seit es eine Oktoberfestwiese gibt, seit der Zeit gibt es eine Wiesenbraut.

Die Wiesenbraut verläßt die Ihren, verläßt ihr Milljöh – geht mit Herren, die sie nicht kennt, interessiert sich wenig für den Charakter, mehr für die Vergnügungen.

Die Wiesenbraut denkt nicht an den Tod.

Die Wiesenbraut opfert ihren Bräutigam, sie denkt nicht, sie lebt. Sie verliert ihre Liebe wegen einem Amüsement.

Sie vergißt wohin sie gehört. Und der Kreis um die Wiesenbraut empfindet diese Störung. Er gerät durcheinander aus Enttäuschung. Aber bald ordnet sich wieder alles – und die Wiesenbraut ist ausgeschaltet. Nur im Märchen bekommt die Wiesenbraut einen Prinzen. In Wahrheit versinkt sie in das Nichts sobald die Wiese aufhört.

[Horváth, Wiesenbraut und Achterbahn, 1931, zitiert nach: Krischke, Ödön von Horváth. Kind seiner Zeit, 131]

KAROLINE vor sich hin: *Man hat halt oft so eine Sehnsucht in sich – – aber dann kehrt man zurück mit gebrochenen Flügeln und das Leben geht weiter, als wär man nie dabei gewesen – –*

[Horváth, Kasimir und Karoline. Volksstück [in 117 Szenen], 1932, kA 5, 136]

Ödön von Horváth: **«Kasimir und Karoline. Volksstück».**

Szenenfotografie von der Berliner Erstaufführung 1932: Hermann Erhardt (Kasimir) und Luise Ullrich (Karoline). Fotografie Zander & Labisch, Berlin.

Ödön von Hováth: **«Gebrauchsanweisung»** [1932]. Entwurf. Typoskript und Handschrift, Seite 1-3 von 7.

Horváth verfaßte diesen Text nach der Uraufführung von «Kasimir und Karoline» im November 1932; es gibt mehrere stark voneinander abweichende Entwürfe. Diese wichtigen theoretischen Texte des Autors dienten nach 1945 vielen Regisseuren zur Interpretation seiner Stücke. Die hier abgebildete Fassung liegt entstehungsgeschichtlich zwischen der fünften in kA 11 abgedruckten Fassung (S.252 ff) und der endgültigen, S.215 ff.

1

*Das dramatische Grundmotiv aller
meiner Stücke ist der ewige Kampf
zwischen Bewusstsein und Unterbewusstsein.*

X

Gebrauchsanweisung

Ich hatte mich bis heute immer heftig dagegen gesträubt, in irgend-
einer Form mich über meine Stücke zu äussern -- ich bin nämlich so naiv gewesen, und bildete es mir ein, dass der weitaus grösste Teil des theaterbe-
suchenden Publikums Satire oder Ironie meine Stücke auch ohne Gebrauchsanweisung verstehen wird. Ich gebe es zu, dass dies ein grober Irrtum gewesen
ist, dass es mir

Erstens bin ich daran schuld, denn:
Erstens und zweitens liegt die Schuld an mir, denn ich dachte,
dass viele Stellen, die doch nur eindeutig zu verstehen sind, verstanden
werden müssten, dies ist falsch -- es ist mir öfters nicht restlos gelungen,
die von mir angestrebte Synthese zwischen Ironie und Ernst zu gestalten.
Zweitens: es liegt an den Aufführungen -- alle meine Stücke sind bisher
nicht richtig im Stil gespielt worden, wodurch eine Unzahl von Missverständ-
nissen naturnotwendig entstehen musste. Daran ist niemand vom Theater schuld
kein Regisseur und kein Schauspieler, dies möchte ich ganz besonders betonen sondern nur ich allein bin schuld. Denn ich überliess die Aufführung
ganz den zuständigen Stellen -- aber nun sehe ich klar, nun weiss ich es genau, wie meine Stücke gespielt werden müssen.
Drittens liegt die Schuld am Publikum, denn: es hat sich leider
entwöhnt auf das Wort im Drama zu achten, es sieht oft nur die Handlung --
es sieht wohl die dramatische Handlung, aber den dramatischen Dialog hört
es nichtmehr. Jedermann kann bitte meine Stücke nachlesen: es ist keine einzige Szene in ihnen, die nicht dramatisch wäre -- unter dramatisch verstehe
ich nach wie vor, den Zusammenstoss zweier Temperamente -- die Wandlungen,
usw. In jeder Dialogszene wandelt sich eine Person. Bitte nachlesen! Dass
dies bisher nicht herausgekommen ist, liegt an den Aufführungen. Aber auch
an dem Publikum.

«Gebrauchsanweisung», S.1.

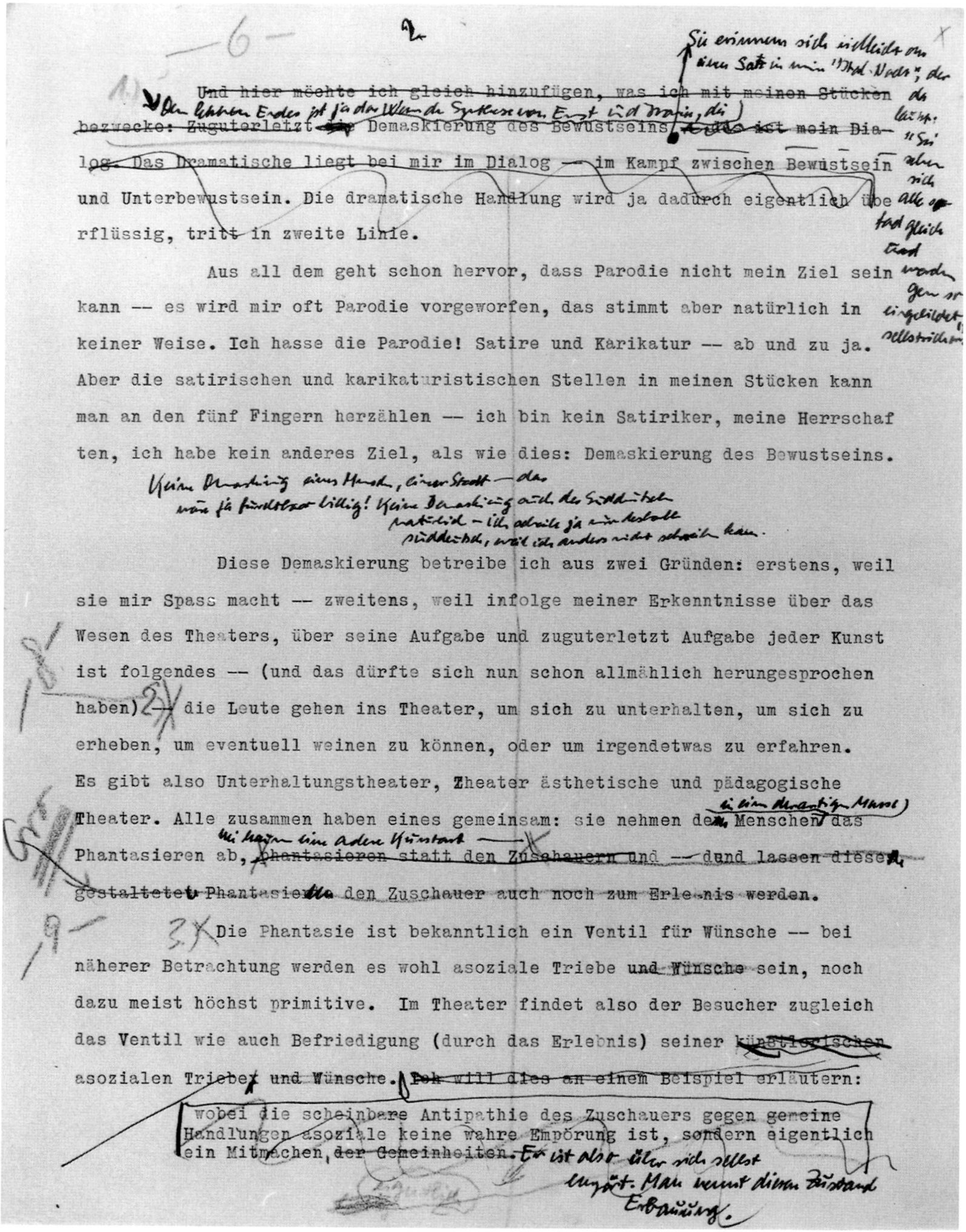

2.

Sie erinnern sich vielleicht an einen Satz in mein "Thl. Vater", der besagt... [handwritten margin]

Und hier möchte ich gleich hinzufügen, was ich mit meinen Stücken ~~bezwecke: Zuguterletzt~~ Demaskierung des Bewustseins~~, das ist mein Dia~~
~~log. Das Dramatische liegt bei mir im Dialog~~ — im Kampf zwischen Bewustsein
und Unterbewustsein. Die dramatische Handlung wird ja dadurch eigentlich überflüssig, tritt in zweite Linie.

Aus all dem geht schon hervor, dass Parodie nicht mein Ziel sein
kann — es wird mir oft Parodie vorgeworfen, das stimmt aber natürlich in
keiner Weise. Ich hasse die Parodie! Satire und Karikatur — ab und zu ja.
Aber die satirischen und karikaturistischen Stellen in meinen Stücken kann
man an den fünf Fingern herzählen — ich bin kein Satiriker, meine Herrschaf
ten, ich habe kein anderes Ziel, als wie dies: Demaskierung des Bewustseins.

Diese Demaskierung betreibe ich aus zwei Gründen: erstens, weil
sie mir Spass macht — zweitens, weil infolge meiner Erkenntnisse über das
Wesen des Theaters, über seine Aufgabe und zuguterletzt Aufgabe jeder Kunst
ist folgendes — (und das dürfte sich nun schon allmählich herungesprochen
haben) die Leute gehen ins Theater, um sich zu unterhalten, um sich zu
erheben, um eventuell weinen zu können, oder um irgendetwas zu erfahren.
Es gibt also Unterhaltungstheater, Theater ästhetische und pädagogische
Theater. Alle zusammen haben eines gemeinsam: sie nehmen dem Menschen das
Phantasieren ab, ~~phantasieren statt den Zuschauern und — dund lassen diese~~
~~gestaltete Phantasie~~ den Zuschauer auch noch zum Erle-nis werden.

Die Phantasie ist bekanntlich ein Ventil für Wünsche — bei
näherer Betrachtung werden es wohl asoziale Triebe ~~und Wünsche~~ sein, noch
dazu meist höchst primitive. Im Theater findet also der Besucher zugleich
das Ventil wie auch Befriedigung (durch das Erlebnis) seiner ~~künstlerischen~~
asozialen Triebe und Wünsche. ~~Ich will dies an einem Beispiel erläutern:~~

~~wobei die scheinbare Antipathie des Zuschauers gegen gemeine~~
~~Handlungen asoziale keine wahre Empörung ist, sondern eigentlich~~
~~ein Mitmachen der Gemeinheiten.~~

«Gebrauchsanweisung», S.2.

3

Es wird ein Kommunist auf der Bühne ermordet, in feiger Weise von einer Ueberzahl von Bestien. Die Kommunistischen Zuschauer sind voll Hass und Erbitterung gegen die Weissen — sie leben aber eigentlich das mit und morden mit und die Erbitterung und der Hass steigert sich, weil er sich gegen die eigenen asozialen Wünsche richtet. Beweis: es ist doch eigenartig, dass Leute ins Theater gehen, um zu sehen, wie jemand umgebracht wird — und dafür Eintritt bezahlen und hernach in einer gehobenen weihevollen Stimmung das Theater verlassen. Was geht denn da vor, wenn nicht ein durchs Miterleben mitgemachter Mord? Die Leute gehen aus dem Theater mit weniger asozialen Regungen heraus, wie hinein. Unter (Unter asozial verstehe ich Triebe, die auf einer kriminellen Basis beruhen — und nicht etwa Bewegungen, die gegen eine Gesellschaftsform gerichtet sind — ich betone das extra, so ängstlich bin ich schon geworden, durch die vielen Missverständnisse)

Dies ist eine vornehme pädagogische Aufgabe des Theaters. Und das Theater wird nicht untergehen, denn die Menschen werden in diesen Punkten immer lernen wollen — Ja je stärker der Kollektivismus wird, umso grösser wird die Phantasie. Solange man um den Kollektivismus kämpft, natürlich noch nicht, aber dann — ich denke manchmal schon an eine Zeit, die man mit proletarischer Romantik bezeichnen wird. Ich bin überzeugt, dass sie kommen wird)

Mit meiner Demaskierung des Bewusstseins, erreiche ich natürlich eine Störung der Mordgefühle — daher kommt es auch, dass Leute meine Stücke oft eckelhaft und abstossend finden, weil sie eben die Schandtaten nicht so miterleben können. Sie werden auf die Schandtaten gestossen — sie fallen ihnen auf und erleben sie nicht mit. Es gibt für mich ein Gesetz und das ist die Wahrheit.

«Gebrauchsanweisung», S.3.

Ödön von Horváth. Porträtfotografie Lotte Jacobi, Berlin, 1932. Publiziert im Artikel «Junge Dramatik» von Julius Bab, in: ‹Die Lesestunde. Zeitschrift für die Freunde der Deutschen Buch-Gemeinschaft›, Nr. 7/8 vom 1. April 1933, S.136.

Wilhelm Lukas Kristl (1903–1985), Gerichtsreporter und Redakteur der sozialdemokratischen ‹Münchner Post›, später Kritiker und Schriftsteller. Porträtfotografie, um 1931.

In einem Brief vom 27. Juli 1932 bestätigt der Ullstein Verlag Horváth, daß sein «gemeinsam mit Herrn Lukas Kristl» verfaßtes Volksstück «Glaube, Liebe, Hoffnung» auf Grund der im Vertrag vom 11. Jänner verabredeten Bedingungen angenommen sei und den Bühnenvertrieb, «wie üblich, die Arcadia Verlag G.m.b.H. besorgen» werde. Wilhelm Lukas Kristl wurde vertraglich mit 45 % an den Tantiemen beteiligt. Das Stück entstand im Sommer und Herbst 1932.

München, «Trinkstube» im **Weinhaus Edmund Neuner,** Herzogspitalstraße 20. Fotografie, um 1910.

«Eine verräucherte Münchner Weinstube, deren Schrammeltrio das unerbittliche Schicksal unserer Elisabeth mit heiteren Weisen begleitete», nannte Kristl das Weinhaus Neuner, wo er mit Horváth am 2. Februar 1932 den Plan zu einem gemeinsamen Stück faßte [‹Münchner Stadtanzeiger›, Beil. zur ‹Süddeutschen Zeitung›, München, 14. November 1975].

Das Stück basiert auf einem Betrugsfall, den der Gerichtsreporter Wilhelm Lukas Kristl in der ‹Münchner Post› vom 13./14. Juli 1929 unter dem Titel «Vor Gericht ist das Betrug» aufgriff. Zwei Jahre später regte er Ödön von Horváth bei einem Zusammentreffen im Weinhaus Neuner in München dazu an, ein Stück zu schreiben, das statt der Kapitalverbrechen die kleinen Justizfälle, in deren Schlingen sich Menschen oftmals verfangen, behandelt. Horváth war damit einverstanden, «gerade die Kleinigkeiten darzustellen, in denen jeder einzelne steckt und die wiederum die Menschen zusammenbringen».

Zusammen schrieben die beiden im Sommer und Herbst 1932 «Glaube Liebe Hoffnung. Ein kleiner Totentanz in fünf Bildern». «Ich hatte Tatbestände und Szenen zu liefern, und Horváth schmolz das Stück in seine Form um. Da er in Murnau wohnte, nur ab und zu nach München kam, schickte ich ihm das Material meistens mit der Post.» So beschrieb Kristl später den gemeinsamen Arbeitsprozeß.

Die Hauptfigur Elisabeth ist vorbestraft, weil sie ohne Wandergewerbeschein als Verkäuferin von Tür zu Tür gearbeitet hat – eine bessere Arbeit als die einer Hausiererin war für sie nicht zu finden. Da sie die Geldstrafe von 150 Mark nicht zahlen kann, will sie als letzten Ausweg ihren Körper an das Anatomische Institut verkaufen. Sie gerät an einen Präparator, der ihr aus Mitleid den benötigten Betrag leiht. Bald fühlt sich der Präparator jedoch von ihr in die Irre geführt, auch kann sie ihm das Geld nicht zurückzahlen. Immer tiefer gerät sie in die Mühlen der Justiz. Als ein Polizist, der sie heiraten will, erfährt, daß sie vorbestraft ist, verläßt er sie. Mittellos, ohne Arbeit und völlig entkräftet, begeht Elisabeth schließlich Selbstmord.

«Glaube Liebe Hoffnung» sollte im Deutschen Theater in Berlin unter der Regie von Heinz Hilpert im Jänner 1933 uraufgeführt werden. Zwar erschien der Text noch im Arcadia Verlag als «unverkäufliches Manuscript» in hektographierter Form, Heinz Hilpert aber folgte der Aufforderung der Nationalsozialisten und nahm das Theaterstück vom Spielplan. Es wurde erst drei Jahre später unter dem Titel «Liebe, Pflicht und Hoffnung» in einer veränderten Fassung in Wien uraufgeführt.

Im September 1933 ließ sich Horváth vom Marton Verlag einen Vorschuß über 2500 Schilling geben für ein Stück, dessen Titel noch nicht feststand. «Eine Unbekannte aus der Seine» wird dieses Stück später heißen und ihm insgesamt 5000 Schilling einbringen, aber keine Aufführung.

Es wurde Ende Jänner 1934 vollendet. Horváth hatte erwogen, das Stück gemeinsam mit der Schriftstellerin Hertha Pauli zu schreiben, da sie eine Erzählung zu diesem Thema veröffentlicht hatte. Es kam jedoch nicht dazu. Die geplante Uraufführung im

Jubelnde Nationalsozialisten vor dem Quartier Adolf Hitlers im Hotel Kaiserhof, Berlin, unmittelbar nach seiner Ernennung zum Reichskanzler am 30. Jänner 1933. Fotografie. Ausschnitt.

Als Künstler soll man sich zwar niemals nach den Leuten richten, aber man gehört doch selbst auch nur zu den Leuten.

Er sagte mir, auch ein Mord ist nicht mehr aufregend zuguterletzt, wie ein kleiner Paragraph Verbrechen, und er erzählte mir einige Fälle aus seiner Praxis. Das waren aber alles Fälle, die unbrauchbar waren für die Bühne. "Die Leut würden sagen, das gibt es nicht, und zwar mit Recht würden sie uns diesen Vorwurf machen. Man müsste also retouchieren."

Und Kristl erzählte mir noch diesen Fall:

Es ist ein alltäglicher Fall. Der Kampf des einzelnen
                                                    Frieden
gegn die Allgemeinheit, und diesem Kampfe gibt es keinen Ausgleich: nur einen Waffenstillstand, der immer wieder gebrochen wird.

So enstand dieses Stück.

Ixhxgxkxi Ein Volksstück mit dem Titel "Glaube Liebe Hoffnung" gab ich ihm. *Und dieser Titel ist nicht ironisch gemeint.*

Kristl gab mir Material. Ich sagte ihm, so ist es ein Feuileton, wir müssen das Wesentliche herausschälen: des Kampf des Einzelnen gegen die Allgemeinheit, mit der Allgemeinheit. Individuum und Gesellschaft. Die grosse Komödie "Glaube Liebe Hoffnung".

Ich danke hiemit Lukas Kristl.

Dass er mir diesen Stoff gab. Und auch für manche Anregung.

Als Motto setzte ich dem Stück voraus: aus der Bibel
Buch Moses Kapitel 8 Vers 21:

"Und der Herr roch , ...

*[Wie ich überhaupt
die "Ironie" nicht
Parodie lesen — es
ist die Wirklichkeit,
über die gelacht wird,
so ist die Tragik]*

Ödön von Horváth: «Ueber die Entstehung meines Volksstückes Glaube Liebe Hoffnung». Typoskript und Handschrift, 2 Seiten, abgebildet S.2.

Schönbrunner Schloßtheater in Wien mit Schülern des Reinhardt-Seminars unter der Regie von Otto Preminger wurde nicht verwirklicht. In einem Interview mit der ‹Wiener Allgemeinen Zeitung› vom 11. Jänner 1934 bezeichnete er das Stück als *Versuch, das Komische und Groteske der Tragik aufzuzeigen. [...] Das Stück repräsentiert aber keineswegs das was man eine Tragikomödie nennt. Es ist ein ganz und gar tragischer Stoff und die Komik, die ihm das Alltagsleben verleiht, kann beispielsweise darin liegen, daß ein Dialog erschütterndsten Inhaltes in Unterhosen geführt wird.*

Inspiration für den Titel und den Handlungsstrang des Stücks war eine damals weit verbreitete Kitsch-Devotionale: die geheimnisvoll lächelnde Totenmaske einer aus der Seine geborgenen Selbstmörderin. Die Geschichte wiederholt Motive männlicher Gemeinheit und menschlicher Gewinnsucht: die zentrale Figur Albert begeht Unterschlagung und Mord und hat damit Erfolg, gewinnt Wohlstand und die begehrte Frau. Im glatten Gelingen mieser Taten und im Davonkommen aller – durchwegs wenig sympathischen – Personen mit ihren unsauberen Handlungen sah Horváth wohl das, was die Bezeichnung ‹Komödie› begründete.

Kontrapunktisch zur Haupthandlung erscheint die Unbekannte als tragisch am männlichen Egoismus scheiternde feenhafte Gestalt. Sie opfert sich für Albert, «geht ins Wasser» für ihn, er hingegen geht ohne Bedenken über sie hinweg. In einem grotesken Finale zeigt Horváth eine Wiederkehr der Unbekannten – Alberts Frau kauft ein Exemplar der Totenmaske für das eheliche Schlafzimmer, und nur das kleine Kind, Alberts Sohn, empfindet tragische Unterströmungen und beginnt zu weinen.

ALBERT *Ich tu dir doch nichts.*
UNBEKANNTE *Doch. Du schlägst mich – – und ich bin doch eine gefangene Seele – – o was könnt ich allen Menschen antun vor lauter Sehnsucht!*
ALBERT *Verrückt.*
UNBEKANNTE *Ich sehe mich in der Geschichte, sehe mich auf den Schlachtfeldern und in den Bergwerken, ich bin der Säbel und ich bin der Berg, der zusammenbricht – – Sie will wieder trinken.*
ALBERT *Du sollst nicht mehr trinken.*
UNBEKANNTE *Soll ich zu dir kommen – – Sie umarmt seinen Kopf. O warum bist du nicht mein Kind? Ich würde dich in den Schlaf singen, aber das Fenster müßte offen sein und wenn du hinausschaust, müßtest du grüne Augen haben, so große grüne Augen wie ein Fisch – – und Flossen müßtest du haben und stumm müßtest du sein.*
ALBERT *ganz einfach: Ich glaub, du bist der Tod.*

[Horváth, Eine Unbekannte aus der Seine, 1933/1934, kA 7, 58 f]

Ödön von Horváth: **«Glaube Liebe Hoffnung. Komödie».** Bühnenmanuskript des Arcadia-Verlags, Berlin, 1933. Titelseite.

Ödön von Horváth: **«Eine Unbekannte aus der Seine. Komödie».** Bühnenmanuskript des Georges Marton Verlags, Paris. Umschlag.

No.126.   Murnau,den 18. Januar 1935.

Gendarmeriestation M u r n a u .

                         An   *gehrim !*

das ˜ezirksamt W e i l h e i m .

                 Betreff:

                 K.P. D .   Anlässlich der nationalen Erhebung
(Zum Auftr. vom 16.1.35 No.462)   ist geflüchtet:

        1.) v.H o r v a t h Edmund, Schriftsteller,geb.9.12.1901 zu Fiume,
            ungarischer Staatsangehöriger, zuletzt wohnhaft in Murnau;
        2.)war hier als sogenannter Edelkommunist bekannt, hat einige Tage nach
        3.)dem 30. Juni 1933 Murnau verlassen und sich seitdem hier nicht mehr
            sehen lassen, soll sich nach der Flucht in Salzburg, später in Ber-
            lin aufgehalten haben und z. Zt. in Prag leben. Vor Monaten wurde
            hier verbreitet, er wäre von Reichsminister Dr. Göbbels persönlich
            ins Reichspropagandaministerium gegen ein Monatsgehalt von
            1000 RM berufen worden. Eine Anfrage des Ortsgruppenleiters der
            NSDAP. Köhler Murnau beim zuständigen Referenten (Dr. Franke Ber-
            lin) hat ergeben,dass dem nicht so sei und Horvath dort gar nicht
            bekannt sei.
        5) 33 Jahre alt, etwa 1.78 m gross, kräftig, volles Gesicht, bartlos,
           dunkelblonde Haare, vornehmes Auftreten. Lichtbild nicht vorhanden.
        6) Haftbefehl oder Festnahmersuchen besteht nicht.

        Flüchtige Kommunisten sind hier nicht aufgetaucht.

        Kommunistische Funktionäre die hier tätig waren und nicht fest-
        genommen werden konnten,sind nicht vorhanden.

                                        Vogel
                                        Kommissär.

Polizeiauskunft der Gendarmeriestation Murnau gegenüber dem Bezirksamt Weilheim auf eine Anfrage der Bayerischen Politischen Polizei «Betreff: K.P.D». Schreiben vom 18. Jänner 1935.

Horváths Gegnerschaft zur Murnauer NSDAP gipfelte in einem Streit zwischen ihm und SA-Männern in seinem Stammlokal Hotel Post. Am Abend des 10. Februar 1933 übertrug der Bayerische Rundfunk die erste Rede des jüngst ernannten Reichskanzlers Adolf Hitler aus dem Berliner Sportpalast. Horváth fühlte sich belästigt und forderte die Bedienung auf, das Radiogerät abzuschalten. Das provozierte anwesende Nationalsozialisten. Es kam zu heftigen Auseinandersetzungen. Zwei SA-Leute schafften Horváth aus dem Lokal. Er verließ Murnau am nächsten Morgen. In der Villa seiner Eltern fand eine Hausdurchsuchung statt. Auf einen Zeitungsbericht hin ließ Horváth durch seinen Rechtsanwalt richtigstellen, daß er «keine Bemerkungen, noch weniger Bemerkungen schlimmster Art gemacht» habe. Den Eltern war der Boden in Murnau zu gefährlich geworden; sie verkauften das Haus 1934.

Die Murnauer Gendarmeriestation bestätigte in einer Anfrage vom 18. Jänner 1935 «Betreff. K.P.D.» dem Bezirksamt Weilheim, daß Ödön von Horváth «einige Tage nach dem 30. Juni 1933 Murnau verlassen und sich seitdem hier nicht mehr sehen lassen» habe. In dem der Anfrage beigefügten «Verzeichnis aller Kommunisten, die anläßlich der nationalen Erhebung flüchtig gegangen sind», wird Ödön von Horváth als einziger aufgeführt.

Horváth erzählte seinen Freunden, die bereits in der Emigration waren, von diesen Übergriffen. Damit stellte er sich zunächst eindeutig auf die Seite der Verfolgten des Nazi-Regimes, wie es etwa Franz Theodor Csokor verstand:

Liebster Ödön,

bist Du nun über die Grenze wieder heim zu uns   ? Gott sei Dank! Was Du mir nämlich über Deine Erlebnisse in Murnau mitteilst, wundert mich nicht im geringsten. Wir sind ja alle schon mitten in der Emigration, ob wir noch in Bayern wohnen oder bereits in Wien.

[Csokor an Horváth, Brief vom 30. November 1933, Lebensbilder 144]

In Emigrantenkreisen wollte man an eine «Flucht» Horváths aus Murnau nicht so recht glauben. Das lag zum einen an seinen widersprüchlichen Angaben zur Abreise, zum anderen an seiner Haltung während der nächsten Monate gegenüber dem sich etablierenden NS-Regime, mit dem er sich zunehmend zu arrangieren beabsichtigte.

In den folgenden Jahren besuchte Horváth seine in München und in Possenhofen am Starnberger See wohnenden Eltern. Er sah sich in Deutschland immer stärkeren Einschüchterungen ausgesetzt. Am 1. April 1937 schrieb er seinem Freund Csokor:

In München war es zuhause sehr schön, aber auf der Strasse unwahrscheinlich grässlich. Dort ist selbst die Luft verblödet.

[Horváth an Csokor, Brief vom 1. April 1937, Lebensbilder 153]

Adolf Hitler hielt am 10. Februar 1933 im Berliner Sportpalast seine erste Rede als neu ernannter Reichskanzler. Sie wurde von sämtlichen deutschen Sendern übertragen, auch vom Bayerischen Rundfunk. Fotografie Atlantic, Berlin.

‹Arbeiter-Zeitung›, Wien, vom 2. Juni 1933, Titel und S.7:
«Zwischen Budapest und dem Dritten Reich».
Die sozialdemokratische Zeitung und der Autor Oskar Maria Graf mahnten energisch Horváths Anstand ein, als dieser eine Resolution der antinationalsozialistischen österreichischen PEN-Club-Mitglieder nicht unterschrieb.

Zwischen Budapest und dem Dritten Reich.

Zu dem Juden des Dritten Reiches, Felix Salten, gesellt sich nun der Ungar der deutschen Wiedergeburt, Oedön v. Horvath. Dieser Schriftsteller hat unserem Freund Oskar Maria Graf telephonisch zugesagt, er werde das Protesttelegramm der Sozialistischen Schriftstellervereinigung Oesterreichs an den Penklub unterzeichnen. Am nächsten Tag aber bekam er Angst vor der eigenen Courage und teilte brieflich mit, er müsse seine Unterschrift zurückziehen. Ein Herr, dessen Namen er leider nicht verstanden habe (obwohl er und Graf einander mit du ansprachen!), habe ihm den Text mitgeteilt, die Formulierung habe sich aber geändert, außerdem sei er kein deutscher Flüchtling, sondern ungarischer Staatsbürger und könne sich daher an dem Protest nicht beteiligen. Oskar Maria Graf antwortete:

Für Horváth wurden seine private Meinung, mit der er nicht zurückhielt, und seine Theaterstücke, die jüngst heftige Proteste der Nationalsozialisten hervorgerufen hatten, im «Dritten Reich» gefährlich. Er besitze, stand am 14. Februar 1933 in der wichtigsten Zeitung der neuen Machthaber, dem ‹Völkischen Beobachter›, «die Frechheit, die Nationalsozialisten anzupöbeln. Seine ‹Italienische Nacht› zeichnet uns als Feiglinge, die durch ein einziges Schimpfwort seitens einer Frau in die Flucht geschlagen werden können. Wird sich der Ödön noch wundern!» Allein der ungenierte, machtbesessene Ton einer solchen Drohung macht schaudern.

Horváth ging auf Distanz. Er fuhr nach den Reichstagswahlen im März (44,5% NSDAP) und der administrativen Eingliederung Bayerns durch Berlin Mitte März nach Österreich. Im Salzkammergut wohnte er bei Alexander Lernet-Holenia, traf in Salzburg die früheren Mitarbeiter des Kiepenheuer Verlags, Fritz Landshoff und Walter Landauer, und besprach die Zukunft seiner Werke.

Mitte April reiste Horváth nach Wien weiter und stieg im noblen Hotel Bristol ab; er blieb bis Anfang Juni dort gemeldet.

Während zahlreiche Autoren heftig die Politik der Nationalsozialisten attackierten – Oskar Maria Graf schrieb anläßlich der Verbrennung mißliebiger Bücher am 10. Mai in der Wiener ‹Arbeiter-Zeitung› den Aufruf «Verbrennt mich!» –, solidarisierte sich Horváth nicht mit den vertriebenen Autoren.

Ende Mai 1933 zog er die telefonisch zugesagte Unterschrift unter ein Protesttelegramm von antifaschistischen Autoren an den PEN-Kongreß in Ragusa mit der Begründung zurück, er könne «doch nicht im Namen der österreichischen und geflüchteten

Herrn
Oedön v. Horvath
zurzeit Wien, Hotel Bristol
am Kärntnerring.

Lieber Horvath!

Soeben erfahre ich durch die Bildungs-
zentrale, daß Du Deine Unterschrift für das
Telegramm an den Kongreß des Penklubs in
Ragusa wieder zurückgezogen hast und muß
sagen, daß ich baß erstaunt bin. Noch er-
staunter aber bin ich über die fadenscheinige
und feige Begründung, mit welcher Du
das tust.

Du berufst Dich nämlich darauf, das
Telegramm sei nicht der genaue Wortlaut, den
wir Dir am Telephon gesagt hätten — gewiß
doch, Du Held, aber der Sinn ist absolut
der gleiche!

Dann kommst Du mit einem gar zu
schönen Argument daher. Du gibst an, daß Du
nicht zu den geflüchteten deutschen
Schriftstellern gehörst und außerdem Ungar
seist, also ungarischer Schriftsteller!

Daß Du wohl zu den geflüchteten deutschen
Schriftstellern gehörst, hast Du mir gegenüber
doch stets betont — oder war das reine Auf-
schneiderei, wie etwa das, daß Du — umringt
von zehn SA.-Männern — aus Murnau vertrieben worden bist?

Daß Du auf einmal ein ungarischer
Schriftsteller sein willst, ist geradezu pikant
angesichts der Tatsache, daß Du Dich bei der
Kleist-Preisverteilung absolut als Deutscher
gefühlt hast!

Der langen Rede kurzer Sinn: Du willst
Dir nach keiner Seite irgendein Geschäftchen
verderben. Mit solchen Leuten, deren Gesinnung
nicht weiter reicht als ihr Maul, und die bei
einem so geringfügigen Ansinnen, das an
ihren kollegialen Anstand gestellt wird (von
einem Solidaritätsbewußtsein ganz zu
schweigen!), die Flucht ergreifen, habe ich nichts
zu schaffen.

Ich teile Dir mit, daß ich von diesem
Brief den Gebrauch machen werde, der mir
gut scheint.

Der ungarische Staatsbürger hat
nämlich, als er den Kleist-Preis bekam, der
nur an deutsche Schriftsteller verliehen
werden durfte, sein Deutschtum betont; er
wurde damals von den Hakenkreuzlern
angegriffen und hat in seiner Antwort erklärt,
er fühle sich als deutscher Schriftsteller. In
Wien aufgetaucht, hat er sich als Flüchtling
gebärdet und von seiner Vertreibung durch
die SA. berichtet; nun behauptet er, die
Verfolgung habe nicht dem (deutschen)
Schriftsteller, sondern dem (ungarischen)
Privatmann gegolten; „offiziell“ liege in
Deutschland nichts gegen ihn vor. Und in
all diesen Verwandlungen soll man sich nun
auskennen! Trotzdem kennt man sich aus:
und jenseits der Frage, ob er ungarischer
Privatmann oder deutscher Schriftsteller ist,
weiß man nun, wohin Herr Horvath gehört.

Ödön von Horváth. Unbezeichnete Fotografie, 1930er
Jahre.

Franz Theodor Csokor (1885–1969), Schriftsteller. Fotografie Hermann Brühlmeyer, Wien, um 1930.

«Kastor und Pollux» nannte man Csokor und Horváth, so gute Freunde waren sie, und meistens konnte man sie gemeinsam antreffen.

Hoffnungsvoll, geradezu beschwörend, schrieb Franz Theodor Csokor an Horváth in einem Brief vom 12. August 1933 [Lebensbilder, 141]:

Die Nachricht, daß Du dort [in Deutschland] als ‹entartet› nicht mehr gespielt wirst, ist mehr wert als jeder Literaturpreis – sie bestätigt Dir öffentlich, daß Du ein Dichter bist!

Schriftsteller sprechen, da ich weder Österreicher noch geflüchtet bin». Die zuerst zugesagte Mitarbeit an der wichtigen engagierten Exilzeitschrift ‹Die Sammlung› widerrief er am 7. September 1933 in einem Brief an den Verleger Fritz Landshoff und wurde dafür in der Folge heftig angegriffen.

Wichtigster Freund Horváths in Wien wurde der Schriftsteller Franz Theodor Csokor, der ihn zur Arbeit ermunterte, ihn an seine Position als verfemter, ins Exil gestoßener Autor gemahnte, der er nicht ausweichen könne (Csokor wußte von Horváths Wankelmut), ihn in die Wiener Gesellschaft einführte, ja – im Herbst 1933 ihm auch seine Wohnung zur Verfügung stellte. Nach einer Reise nach Berlin und Murnau im Oktober hielt sich Horváth einige Zeit in Henndorf (Salzburg) bei Zuckmayers auf.

Dann fuhr er nach Budapest, um seine Papiere in Ordnung zu bringen. Zur Überraschung seiner Bekannten heiratete er in Wien am 27. Dezember 1933 die Schauspielerin Maria Elsner. Karl Tschuppik und Lernet-Holenia waren die Trauzeugen. Die Ehe wurde nach Auseinandersetzungen binnen einem Jahr geschieden.

Wien 1, Kärntnerring 1-7, Hotel Bristol, im Hintergrund die Staatsoper. Fotografie, um 1925. Horváth wohnte wiederholt in diesem teuren Hotel; erst später, nach dem Ende seiner Arbeit für den Film, bezog er billigere Zimmer in Wien.

Maria Elsner (Schauspielerin, 1905–1981). Fotografie Edith Glogau, Wien.

Ödön von Horváth und Maria Elsner heirateten am 27. Dezember 1933 in Wien. Die Ehe wurde im folgenden Jahr geschieden.

Noch bevor die Formalitäten seiner Scheidung vollzogen waren, verließ Horváth Wien am 12. März 1934 Richtung Berlin; er blieb bis September 1935 fort. Was er dort an Arbeit vor hatte, wie riskant sein Aufenthalt in Deutschland war, darüber liegen keine Äußerungen vor. Doch ist an den Vorgängen abzulesen, daß seine schriftstellerischen Hoffnungen in zwei Richtungen gingen.

Einmal wollte er weiter fürs Theater arbeiten. Mit dem Neuen Bühnenverlag im Verlag für Kulturpolitik schloß er am 19. April 1934 in Berlin einen Vertrag über sein Stück «Himmelwärts» ab – ohne, wie sonst üblich, einen Vorschuß zu erhalten. Knapp zwei Monate später wurde Horváth informiert, daß man seine Stücke in Nazi-Deutschland nicht spielen werde. Dagegen protestierte er in einem Brief an seinen Verleger, den er zu einem Appell an das Reichsministerium für Volksaufklärung und Propaganda, dem das Theaterwesen unterstand, aufforderte:

[...] es wäre für mich mehr als ein sehr schmerzliches Erlebnis, wenn man es mir untersagen würde, am Wiederaufbau Deutschlands mitzuarbeiten, soweit dies mir meine Kräfte erlauben [...].
[Siehe Seite 117]

Den Brief zitierte der Verleger Willy Stuhlfeld in seinem Ansuchen an den «Reichsdramaturgen» Rainer Schlösser – jenen Funktionär, der schon in früheren Jahren wiederholt heftig im ‹Völkischen Beobachter› gegen Horváth gehetzt hatte. Die Antwort lag vermutlich in der Bedingung, erst einmal um Aufnahme in die in der zweiten Hälfte des Jahrs 1933 gegründete politisch kontrollierte Fachorganisation, den «Reichsverband Deutscher Schriftsteller», anzusuchen.

Dies tat Horváth am 11. Juli 1934. Diesem Antrag lag ein zweiseitiger Fragebogen bei, auf dem Horváth seine Mitgliedschaft beim Verband Deutscher Bühnenschriftsteller und der Union Nationaler Schriftsteller angab, den Wunsch zur Hauptmitgliedschaft in der Fachschaft «Bühne», als Gast in der «Film», als Filmgesellschaften, für die er arbeite, «Fox; Europa» und als «Bürgen» für seine deutsche Gesinnung den prononcierten NS-Schriftsteller Edgar von Schmidt-Pauli und den Verleger Willy Stuhlfeld, dem Horváth sein neues Stück «Himmelwärts» anvertraut hatte. Das Ansuchen wurde positiv behandelt. Horváth wurde in der Fachschaft Bühne und «als Gast» in der Fachschaft Film aufgenommen.

Er zahlte nur bis 1935 Mitgliedsbeiträge und wurde deshalb 1937 ausgeschlossen.

Trotz der Aufnahme in den Reichsverband wurde im Dritten Reich kein Stück Horváths aufgeführt. Wohl aber fand er eine Verdienstmöglichkeit, indem er für den Film schrieb.

DER NEUE BÜHNENVERLAG
im Verlag für Kulturpolitik G.m.b.H.

60/0   21.8.54

195

Verlag für Kulturpolitik · Berlin W 50 · Marburger Straße 12   Fernruf: B 4 · Bavaria 1373 · Drahtwort: Kulturpol Berlin
Postscheckkonto: Berlin 18030 · Bankkonto: Dresdner Bank, Berlin W 8

An den
Reichsdramaturgen
Herrn Dr. Rainer Schlösser
Berlin W.8.
Ministerium für Volksaufklärung
und Propaganda, Wilhelmstr.

Reichsministerium
f. Volksauffl.............
27. JUN. 1934 Vm.
60/0 26.6............. Anl.

Ihr Zeichen: Ihre Nachricht vom: Unser Zeichen: St/O.   Berlin, am: 26.6.34.
Betreff:

Sehr verehrter Herr Doktor !

    In den Kreis unserer Mitarbeiter haben wir Ödön von Horvath aufgenommen, nachdem wir uns überzeugt hatten, dass das unschöne Gerede über den Dichter, das hie und da auftauchte, jeder Grundlage entbehrt.

    In der Annahme, dass Sie, sehr verehrter Herr Doktor, nachstehende Ausführungen interessieren, die uns Herr von Horvath mit Schreiben vom 18. Juni machte, übermitteln wir Ihnen den Inhalt dieses Briefes zur Kenntnisnahme:

- - - - - - -

" Nun muss ich Ihnen leider folgendes mitteilen und Sie sehr bitten, in dieser Angelegenheit zu intervenieren, und zwar so, wie Sie es für gut halten, denn ich weiss nun nicht mehr, was ich machen soll und bin auch über all das etwas erschüttert.
    Es dreht sich um folgendes: man hat mir erzählt, dass Hilpert im V.B. (Berliner Ausgabe) und im " Der Deutsche" angegriffen worden ist, weil er in der nächsten Spielzeit ein Stück von mir bringen will. " Der Deutsche" soll unter anderem geschrieben haben, ich hätte ein kommunistisches Stück, betitelt " Die Bergbahn" geschrieben, das im Januar 1929 in der Volksbühne aufgeführt worden ist. Hierzu habe ich zu bemerken: dieses Stück war kein kommunistisches, sondern ein ausgesprochen antikommunistisches Stück. Es war seinerzeit das erste Stück, in dem Arbeiter nicht von dem üblichen doktrinär-marxistischen Winkel aus gesehen und zu gestalten versucht worden sind, weshalb mich auch die gesamte marxistische Presse, mit geringen Ausnahmen, verhöhnt oder verdammt hat. Piscator hatte seinerzeit, bereits 1928, das Stück inszenieren wollen, allerdings unter der Bedingung, dass ich in das Stück eine

---

Der Neue Bühnenverlag im Verlag für Kulturpolitik Berlin an «Reichs-
dramaturg» Rainer Schlösser im Ministerium für Volksaufklärung und Propaganda, Berlin, Brief vom 26. Juni 1934, Typoskript. Seite 1.

kommunistische Tendenz " hinzudichte". Ich hatte das immer
wieder abgelehnt und bin daher erst ein Jahr später aufgeführt
worden, unter der Regie des verstorbenen Viktor Schwanneke.
Der Kreis um Piscator und Brecht tobte gegen mich und " zer-
riss mich nach allen Noten der Kunst", wie man es so zu sagen
pflegt.- Wie man also unter solchen Umständen von einem
" kommunistischen Stück" sprechen kann, ist mir unerfindlich.
Es dürfte Sie in diesem Zusammenhange interessieren, dass ich
ja mit meinen Eltern 1919 aus Ungarn, wo die Sowjets regierten,
flüchten musste. Mir " Kommunismus" vorzuwerfen ist also
schlechthin grotesk.
           Ich habe nun hier gehört, dass das Propagandaministerium
sich gegen eine Aufführung irgendeines Stückes von mir ausge-
sprochen haben soll - wie gesagt: ich habe dies nur gehört,
ob es aber stimmt, das weiss ich nicht. In diesem Zusammenhange
möchte ich Ihnen nur noch folgendes mitteilen: ich habe im
April erfahren, dass das Propaganda-Ministerium den Vorwurf
gegen mich erhebt, ich hätte in meinem Stück " Geschichten
aus dem Wienerwald", welches im November 1931 uraufgeführt
worden ist, behauptet, Deutschland sei Schuld am Weltkrieg.gew
sen. Sowie ich diesen Vorwurf gehört hatte, habe ich es dem
Propagandaministerium in einwandfreiester Weise nachgewiesen,
dass ich dies niemals behauptet habe, und das die Kritik des
Herrn Paul Fechter vom November 31, auf der die Beschuldigung
des Ministeriums basierte, ein Irrtum des Herrn Fechter ist.
Herr Fechter hat mir dies selbst schriftlich bestätigt.
           Und nun nur nebenbei, vielleicht interessiert es Sie :
ich bin bereits im Januar 1924 in Paris verprügelt worden, weil
ich öffentlich behauptet hatte, dass Deutschland nicht Schuld
am Krieg gewesen sei.
           Und nun, verzeihen Sie mir bitte, dass ich Ihnen noch
folgendes mitteile, es ist nicht meine Art, mit eigenen Taten
aufzutreten, aber ich habe das Gefühl, dass ich leider dazu
gezwungen bin. Also, wie Sie wissen, bin ich Ausländer, aber
meine Muttersprache ist deutsch und daher fühle ich mich als
Mitglied des mächtigen deutschen Kulturkreises. Ich habe beim
Ausbruch der deutschen nationalen Revolution und während der
folgenden Zeit bis Mitte April 1934 im Ausland gelebt und gearbeitet. Ich habe während dieser ganzen Zeit es kategorisch abgelehnt, irgend etwas in Wort und Schrift oder Tat gegen
Deutschland und seine Regierung zu unternehmen. Ich habe keiner-
lei Proteste unterzeichnet und bin deshalb auch von der gesamten
marxistischen Presse Oesterreichs in wüstester Weise ange-
pöbelt und verleumdet worden. Ja, ich habe mich nicht nur
geweigert, irgend einen Protest zu unterschreiben, ich habe
sogar öffentlich erklärt, dass ich an keiner Emigrantenzeitung
mitarbeite und radikal nichts damit zu tun habe. Diese meine
Erklärung hat auch die Verbandszeitschrift " Der Autor" abgedruckt. Wegen dieser meiner öffentlichen Stellungnahme bin
ich natürlich wieder wüst angegriffen worden, in Wien, Prag,
Budapest, und zwar nicht nur von den rein marxistischen
Organen.
           Ich habe mich also aus freien Stücken in eindeutigster
Weise für Deutschland erklärt, und zwar bereits zu einer Zeit
im Ausland, wo eine derartige Erklärung für einen Künstler
nicht gerade ohne jede Gefahr verbunden war. Und nun, fast

Der Neue Bühnenverlag im Verlag für Kulturpolitik Berlin an «Reichs-
dramaturg» Rainer Schlösser im Ministerium für Volksaufklärung und Propaganda, Berlin, Brief vom 26. Juni 1934, Typoskript. Seiten 2 und 3.

Blatt II   196
----
fünfviertel Jahr später, ereignet sich der Fall, dass ein
deutsches Theater ein Stück von mir spielen will, und da muss
ich hören, dass man kein Stück von mir in Deutschland spielen
kann, also in dem Lande, für das ich im Ausland immer eingetreten
bin.

      Ich erwarte es niemals, dass man mich irgendwo mit offenen
Armen empfängt, aber es wäre für mich mehr als ein sehr
schmerzliches Erlebnis, wenn man es mir untersagen würde, am
Wiederaufbau Deutschlands mitzuarbeiten, soweit dies mir meine
Kräfte erlauben ".

      Wir wären Ihnen, sehr verehrter Herr Doktor, sehr

dankbar, wenn Sie vorstehende Aufklärung allen massgebenden

Stellen im Propaganda-Ministerium zuleiten würden.

      Mit den besten Empfehlungen begrüssen wir Sie mit

                  Heil Hitler !

                     Verlag für Kulturpolitik G.m.b.H.
                              Abt.:
                  DER NEUE BÜHNENVERLAG

115

Reichsverband Deutscher Schriftsteller E.V.

Reichsverbandsführung

Berlin W 50, Nürnberger Straße 8

Fernsprecher: B 4 Bavaria 6113/5406
Postscheckkonto: Berlin NW 7, 40032
Bankkonto: Commerz- u. Privatbank
Tauentzienstr. 18

N.

ARISCH / ~~NICHTARISCH~~ **Aufnahme-Erklärung.** Mitgl.-Nr. ....

Ich erkläre hiermit meinen Eintritt in den Reichsverband Deutscher Schriftsteller E.V., Berlin und bin bereit, an der Kulturaufgabe des deutschen Schrifttums mitzuarbeiten.

Ich bin *ungarischer* Staatsangehöriger.

Name: *~~Edm~~ von Horváth* Vorname: *Ödön*

Wohnort: *Berlin W 15* Straße: *Kurfürstendamm 33*

Geboren am: *9. XII. 01* Geburtsort: *Fiume (Italien)*

Den Aufnahme- und ersten Quartalsbeitrag sowie RM 1.— einmalige Leihgebühr für Verbandsnadel, entrichte ich innerhalb von vier Wochen nach Erhalt der Aufnahmebestätigung; im anderen Falle ist meine Aufnahmeerklärung als erloschen zu betrachten. Ich erkenne an, daß die mir überlassene Mitgliedskarte und das Verbandsabzeichen Eigentum des R.D.S. sind und werde beides bei meinem Ausscheiden zurückgeben.

Berlin, den *11. Juli* 1934.

Unterschrift:

Ödön von Horváth

(bürgerlicher Name)

Aufnahmegebühr: RM 3.— (fällt für Mitglieder des Schutzverband Deutscher Schriftsteller, Verband Deutscher Erzähler, Deutscher Schriftsteller-Verband, Bund deutscher Schriftst. und Journalistinnen, Vereinigung Sächsischer Schriftsteller, Verband der Tanzkritiker, Verband Deutscher Bühnenschriftsteller und Bühnenkomponisten E.V., Nationalverband Deutscher Schriftsteller und Reichsverband der Deutschen Presse fort). Vorläufiger Beitrag pro Vierteljahr RM 5.—.

Bitte deutlich schreiben!

Unvollständig ausgefüllte Anträge werden nicht berücksichtigt.

Antrag Ödön von Horváths zur Aufnahme in den Reichsverband Deutscher Schriftsteller vom 11. Juli 1934, Vordruck, Handschrift.

116

Am 23. Dezember 1932 war vom Verlag Ullstein (samt seiner untergeordneten Verlage) und Ödön von Horváth «in freundschaftlichem Einvernehmen» die Nicht-Verlängerung des Vertrages von Jänner 1929 festgehalten worden. Daraus hatte sich für Horváth die Verpflichtung ergeben, dem Verlag die bisher nicht eingespielten Vorschüsse zurückzuzahlen. In den Verhandlungen mit dem Verlag hatte er erklärt, das «mit Einnahmen aus der Arbeit an Aufträgen zur Herstellung von Filmmanuskripten» leisten zu wollen. Das war nicht unrealistisch: Horváth hatte von den Aufführungen seiner Theaterstücke her Kontakte mit Schauspielern, die auch beim Film erfolgreich waren, darunter Luise Ullrich, auf die er sich als Kontaktperson im September 1934 in einem Brief an Hans Geiringer bezog. Andere mögen Theo Lingen, Oskar Sima, Paul Hörbiger oder der zukünftige Starregisseur Veit Harlan gewesen sein. Anregend könnte auch der Freund Carl Zuckmayer gewirkt haben, der bereits seit 1927 Drehbücher und Filmtreatments schrieb.

Im September 1934 berichtete Horváth Geiringer von seinen Filmprojekten und von der Bearbeitung von Nestroys «Einen Jux will er sich machen», an der er gerade arbeitete. Horváths Anwesenheit bei den Dreharbeiten zu diesem Film «Das Einmaleins

Ödön von Horváths **Führerschein,** ausgestellt in Berlin am 21. September 1934, Innenseiten.

Das Einkommen aus seinen Aktivitäten in Berlin erlaubte dem Schriftsteller, ab Dezember 1934 zwei Zimmer einer Villa in Berlin-Nicolassee zu beziehen, wie er stolz den Eltern berichtete, und den Führerschein nebst einem Auto zu erwerben.

A u f n a h m e = S t a b .
================================

Carl Hoffmann	F.N. 4718	Am Park 15	Stephan	G.1	4603
Theo Lingen		Hochspitzweg 149	Zehlend..	H.4	4409
Bobby E. Lüthge	F.N. 1946		Wilmersd.	H.7	4149
O.v. Horvath	F.N. 875	Nikolassee, An der Rehwiese 4	Wannsee	H.0	5173
v. Pinelli		Apostel Paulus- str. 18			
Günther Anders		Stahnsdorfer- str. 107		K.9	7173
Curt Prickler	F.N. 1603	Reichsstr. 11	Heerstr.	J.9	2368
Adolf Essek	F.N. 2294	Dahlmannstr. 34	Bleibtreu	J.6	2477
Willi Sperber		Joachim Friedrich- str. 34	Hochmeister	J.7	3290
Otto Marotzke	F.N. 3995	Am Circus 4		D.2	9312
Hans Sohnle	F.N. 1548	Holbeinstr. 23	Lichterf.	G.3	0577
Otto Erdmann	F.N. 1543	Hindenburgstr.96	Emser Pl.	H.6	4634
Theo Mackeben		Agricolastr.13/14	Tiergarten	C.9	9511
Richard Timm		Mathieustr.16	Dönhoff	A.7	4278
Franz Siebert		Stolbergstr. 7	Südring	G.5	0711
Charlotte Pfefferkorn		Miquelstrasse 3	Lichtenbg.	E.5	4837
Hans Vonberg		Schönburgstr. 11	Südring	G.5	2721
Erwin Huebenthal		Schulstr. 19	Frauenhofer		1080
Hans Kothe		Oberschöneweide, Rathausstr. 25	Oberspree	F.3	1584
Hans Dupke		Lessingstrasse 44	Tiergarten	C.9	3595
Revelly		Dunckerstr. 26	Humboldt	D.4	4978
Karl Linder		Bergstrasse 151	Neukölln	F.2	5892
Erich Palme		Augsburgerstr.42	Bavaria	B.4	8543
Alfred Stöger		Rathenowerstr.64	Hansa	C.5	5901
Manon Hahn		Karlsruherstr. 2		J.7	6265
Gertrud Wienskowsky		Schönebergerstr.16		G.2	3706

der Liebe» wird durch die Liste des Stabs im Drehbuch bestätigt. Im Filmprogramm kommt jedoch sein Name nicht vor, als Autoren des Drehbuchs sind H. W. Becker und Bobby E. Lüthge genannt.

Wie auch heute waren damals zumeist mehrere Personen an der Erstellung eines Drehbuchs beteiligt, die den Text oft vielfach bearbeiteten und umschrieben. Der oder die Namen, die letztlich als Drehbuchautoren genannt wurden, waren selten die alleinigen Mitwirkenden, sondern vielleicht vorgeschobene Autoren, unter Umständen sogar nur fiktive Namen – insbesondere dann, wenn die eigentlichen Verfasser den NS-Behörden nicht genehm waren.

In Horváths Nachlaß liegen mehrere Filmexposés, deren literarische Qualität stark schwankt, darunter: «Ein Don Juan unserer Zeit. Filmexposé», «Die Geschichte eines Mannes (N), der mit seinem Geld um ein Haar alles kann. Ein Tonfilmentwurf», eine intensiv bearbeitete Filmversion von Ludwig Anzengrubers «Der Pfarrer von Kirchfeld» und «Brüderlein fein! Ein Film aus der Biedermeierzeit». Das Titelblatt des Biedermeier-Exposés trägt als Autorenbezeichnung «Ödön von Horváth», welche durchgestrichen und von Horváth eigenhändig zu «H. W. Becker» korrigiert wurde. Offen bleibt, ob er damit den realen Autorennamen eintragen oder sich von einem als minderwertig empfundenen Text

«Das Einmaleins der Liebe. Ein heiteres Spiel aus alter Zeit», 1935, Minerva Tonfilm, Berlin, Europa-Filmverleih der Tobis, Regie: Carl Hoffmann, Schauspieler: Luise Ullrich, Theo Lingen, Paul Hörbiger, Musik: Theo Mackeben, Drehbuch: B. E. Lüthge nach dem gleichnamigen von H. W. Becker frei bearbeiteten Bühnenstück [Johann Nestroys «Einen Jux will er sich machen», 1842].

Drehbuch, Der Aufnahmestab.

Hier ist Ödön von Horváth genannt, mit Telefonnummer und Adresse in Berlin-Nicolassee, wie er sie am 2. Dezember 1934 den Eltern mitgeteilt hatte, und seiner Mitgliedsnummer beim Reichsverband Deutscher Schriftsteller, 875.

Bei den Dreharbeiten mit Carl Hoffmann (3.v.l.), Paul Hörbiger (2.v.l.), Luise Ullrich u. a. Fotografie, 1935.

Das Einmaleins der Liebe

Ein heiteres Spiel aus alter Zeit

nach einem Bühnenstück frei bearbeitet von H. W. Becker

Drehbuch: B. E. Lüthge

Spielleitung: Carl Hoffmann

Musik: Theo Mackeben / **Produktionsleitung: Curt Prickler**

Bild: Günther Anders / Ton: Emil Specht / Bau: Sohnle & Erdmann / Regieassistent und Dialogleitung:
Alfred Stöger / Liedertexte: Aldo Manfred v. Pinelli / Schnitt: Erich Palme / Aufnahmeleitung: Adolf Essek
Standfotos: Heinz Ritter / Kostümentwürfe: Manon / Kostüme: Theaterkunst G. m. b. H.

Darsteller

Sophie Bruninger . . . . Luise Ullrich
Alois Weinberl . . . . Paul Hörbiger
Mme. Knorr . . . . Lee Parry
Melchior Feuerfuchs . . . . Theo Lingen
Carlotta de Melac . . . . Genia Nikolajewa
Zangler . . . . Paul Henckels
Modlinger . . . . Gustav Waldau

Ferner wirken mit: Gertrud Wolle, Vera Schulz, Gerti Gerdt, Inge Landgut, Paul Heidemann, H. H. Schaufuß
Rudolf Klein - Rogge, Oskar Sima, Eugen Rex, Claus Pohl, H. M. Netto, Rudolf Essek, Arthur Reppert, Josef Reithofer u. a.

System: Tobis - Klangfilm

Hersteller: Minerva Tonfilm G. m. b. H., Berlin / Weltvertrieb: Transocean Film Co. G. m. b. H., Berlin

Verleih

 Europa Filmverleih A. G., Berlin

«Das Einmaleins der Liebe», 1935, Programm. Illustrierter Film-Kurier,
Berlin, Nr. 2329, [1935], S.2.
Der Spielfilm wurde am 20. September 1935 in Berlin uraufgeführt.

distanzieren wollte. Wegen dieser Korrektur galt bisher «H. W. Becker» als Horváths Pseudonym. Allerdings laufen weitere Drehbücher und bis in die 1940er Jahre realisierte Filme unter der Autorenbezeichnung «H. W. Becker»; stammen auch sie von Horváth oder doch von Becker, den es als eigenständigen Autor tatsächlich gegeben hat?

In späteren Jahren bedauerte Horváth seine Arbeiten für den Film, die er nur zum Gelderwerb geleistet habe. Das bedeutete aber keine Absage an jegliche Arbeit für den Film: die Kontakte mit Robert Siodmak 1938 in Paris bezeugen sein Interesse zumindest an Verfilmungen eigener Werke.

Ödön von Horváth: **Arbeitsliste möglicher Filmprojekte.** In: Notizbuch [Nr. 4], S.112 und 113. Handschriftliche Eintragung, um 1933/1934.

Solche Notizen erlauben einen Einblick in Horváths Werkstattdenken: Die Reihungen spiegeln vermutete Erfolgsfaktoren:

- eine erfolgversprechende Story,

- literarisch wertvolle (und bereits ausgeführte) Theaterstücke, die daher keinen kreativen Aufwand mehr erfordern würden,

- Sujets, die Horváth gerade bearbeitete und die daher prominent in seinem Bewußtsein waren.

Die Titeländerungen, z. B. «Die kleinen Paragraphen» / «Glaube Liebe Hoffnung», sind ein häufig vorkommendes Spiel Horváths mit inhaltlichen oder symbolischen Komponenten eines Texts während dessen Entstehung oder Bearbeitung.

Oedön Horvath über sein neues Stück

Oedön Horvath, dessen geistvolle Komödie „Italienische Nacht" seinerzeit auch in Wien einen großen Erfolg erzielte, hat soeben ein neues Stück beendet, das höchstwahrscheinlich um die Weihnachtszeit im Deutschen Volkstheater unter der Regie Karlheinz Martins zur Uraufführung gelangen wird.

Oedön Horvath,

der sich nun ständig in Wien aufzuhalten gedenkt, erzählt unserem Mitarbeiter über sein Stück, das den Titel „Hin und her" trägt:

„Als ich mein Stück zu schreiben begann, hatte ich eines der unwahrscheinlichsten Erlebnisse. Aber so unwahrscheinlich es klingt, ich kann Ihnen versichern, es ist w o r t w ö r t l i c h wahr.

Mein Stück behandelt nämlich das Schicksal eines Mannes, der aus einem Staat ausgewiesen wird. Er wird über eine Brücke geführt, die über einen Fluß gelegt ist, der die Grenze zwischen den beiden Staaten darstellt. Er wird aber in den Nachbarstaaten nicht eingelassen und ist nun gezwungen, eine Zeitlang auf der Brücke zu hausen.

Ich habe mir diese Fabel bis in ihre letzten

Einzelheiten ausgedacht und auch schon fünf Tage lang daran gearbeitet, als ich zu meiner größten Ueberraschung

eine Zeitungsmeldung las, die genau den Inhalt meines Stückes enthielt.

Diese Meldung war ein Telegramm, aus dem hervorging, daß ein Mann aus der Tschechoslowakei abgeschoben worden war, aber in Polen, wohin man ihn abschob, nicht eingelassen worden war. Auch die Brücke kam in dem Telegramm vor und es hieß, daß dieser Mann mehrere Nächte auf dieser Brücke schlafend zubringen mußte.

Ich habe aus dieser Meldung nichts für mein Stück entnommen — es ist ein reiner Zufall, daß ich eine Handlung ersann, die sich kurz darauf dann wirklich zutrug. In meinem Stück ist freilich von Phantasiestaaten die Rede, es ist dabei an keinen der existierenden Staaten speziell gedacht.

Mein Stück ist eine Posse mit Gesang und man sagt, daß es in mancher Hinsicht an Nestroy und Raimund erinnert.

Wer die Musik zu meinem Stück komponieren wird, weiß ich noch nicht. Die Rollen sind durchwegs Komikerrollen, sowohl die weib-

---

Aus dem Programmheft zu Ödön von Horváth: «Hin und Her. Komödie». Uraufführung am Zürcher Schauspielhaus, 13. Dezember 1934. Regie Gustav Hartung, Musik Hans Gál.

HAVLICEK: [...] Wissens, es schaut nämlich einfacher aus, als wie es ist, wenn man so weg muß aus einem Land, in dem man sich so eingelebt hat, auch wenn es vom Zuständigkeitsstandpunkte nicht die direkte Heimat war – – aber es hängen doch so viel Sachen an einem, an denen man hängt.

[Horváth, Hin und Her, 1934, kA 7, 127]

Die Komödie «Hin und Her», 1933 geschrieben, wurde als erstes Stück Horváths von einem großen Theater außerhalb Deutschlands gespielt. Die Uraufführung war im Wiener Volkstheater geplant, kam jedoch aufgrund rechtsradikaler Drohungen nicht zustande. Stattdessen brachte sie das Zürcher Schauspielhaus am 13. Dezember 1934 heraus; die Produktion war kein Erfolg und verschwand rasch vom Spielplan – ein Charakteristikum fast aller Horváth-Aufführungen in den dreißiger Jahren.

Im Programmheft der Züricher Uraufführung ist unter anderem zu lesen:

In «Hin und Her» ist Horváth eine der schönsten Persiflagen auf die Herrschaft des bedruckten und gestempelten Papiers über den Menschen gelungen. Aber es ist natürlich weit mehr als das: der Mann, der auf der Brücke bleiben muß, weil er sonst nirgends hin darf, ist schon beinahe ein Symbol.

Ist beinahe Horváth selbst, kofferpackend, pfeifenrauchend und mit einer kleinen höchst privaten Sehnsucht im Herzen, hinter einem unbeweglichen, scheinbar durch nichts berührten Gesicht.

CASINO·THEATER
I. WALFISCHGASSE 11   TEL. R 21-0-29

Farkas-Revue
„Alles in Butter"

Nach der Abendvorstellung
12.³⁰
Die große
Mitternachts-
Parkett-Revue
bei freiem Entree

lichen wie auch die männlichen. Die Absicht
des Stückes läßt sich kurz folgendermaßen
formulieren: es soll zeigen, wie leicht sich
durch eine menschliche Geste unmenschliche Ge-
setze außer Kraft setzen lassen.

Augenblicklich arbeite ich an einem zweiten Stück und an einer Prosasache, über
die ich noch nichts verraten will. Mein neues
Stück soll eine Märchenposse werden, aber
ohne Zauberei. Ich halte die Form der
Märchenposse gerade in der gegenwärtigen
Zeit für sehr günstig, da man in dieser
Form sehr vieles sagen kann, was man sonst
nicht aussprechen dürfte . . ."

‹Wiener Allgemeine Zeitung› vom 14. September 1933, S.5: Bericht über die geplante Premiere
von Horváths Stück «Hin und her» am Deutschen
Volkstheater in Wien unter Karlheinz Martin.

Wien 1, **Bösendorferstraße,** Blick vom Hotel
Imperial zur Kärntnerstraße. Fotografie, um 1930.
Auf der Höhe der Straßenbahnen befinden sich
rechts das Haus Nr. 1, in dem die Theateragentur
Max Pfeffer ihr Büro hatte, und links das Haus
Nr. 4 mit der Agentur Georg Marton. Mit beiden
stand Horváth in den 1930er Jahren unter Vertrag.

Der Aktualität des Themas Heimat- und Staatenlosigkeit wurden der Volksmärchenton und das Happy End mit zwei Hochzeiten
nicht gerecht. Der Autor kam nicht zur Premiere nach Zürich, er
entschuldigte sich mit Arbeitsüberlastung in Berlin.

Die Verträge mit dem Arcadia Verlag, dem Bühnenvertrieb des
Berliner Ullstein Verlags, wurden im Frühjahr 1933 von Georg
Marton (1899–1979) in Wien übernommen, der auch die meisten
Bühnenstücke, die Horváth von da an schrieb, publizierte. Marton
führte die Agentur nach seiner Emigration aus Österreich in Paris
weiter, wenn auch mit keinem unmittelbaren Erfolg für den Autor.

Buchausgaben der Theaterstücke fanden jedoch nicht mehr
statt; der Markt war dafür zu klein geworden. Aus Geldnot ging
Horváth auch zu anderen Verlegern (Max Pfeffer; Wien [Vertrieb
von «Figaro läßt sich scheiden» und «Don Juan kommt aus dem
Krieg»], Alfred Ibach [«Figaro»], Wiener Operetten Verlag [«Der
jüngste Tag»]), die ihm Vorschüsse anboten.

Die Tatsache, daß Horváths Stücke nicht mehr in Deutschland
gespielt wurden, und zwar zu einem Zeitpunkt, als seine Promi-
nenz einen ersten Höhepunkt erreicht hatte, bedeutete für den
Autor einen herben Schlag. Die Einnahmen aus den Theaterproduktionen nach 1933 in der Schweiz, in Österreich und in der
Tschechoslowakei waren gering und reichten keineswegs zum
Leben. Daher die verschiedenen Versuche, zuerst in Deutschland,

Ein Blatt aus den Noten zum Prolog der Wiener Aufführung von «Kasimir und Karoline». Text Willi Desoyer / Georg Alfred / Ernst Lönner, Musik Josef C. Knaflitsch, 1935.

«Bist in ein Mädchen du verliebt,

Sie läßt Dich heute stehn,

So wirst Du morgen tief betrübt,

Mit einer Andern gehn. [...]

Der Mensch mag nicht beständig sein

Doch die Liebe höret nimmer auf.»

[zu den widersprüchlichen Angaben über die Autoren der Zusatztexte vgl. Krischke 1980, 198 und Krischke 1991, 256]

Ödön von Horváth am Starnberger See. Fotografie, 1936.

dann in den USA ins Filmgeschäft zu kommen bzw. wieder Prosa zu schreiben, für die der Markt etwas günstiger lag.

Die österreichische Erstaufführung von «Kasimir und Karoline» fand im Wiener Theater Die Komödie am 4. Februar 1935 statt. Regie führte Ernst Lönner, die Musik schrieb Josef C. Knaflitsch zu Liedtexten von Georg Alfred und Ernst Lönner. Der Erfolg der Emigrantentruppe machte eine Fortsetzung in den Wiener Kammerspielen (Wien 1, Rotenturmstraße 20) und eine Wiederaufnahme der Produktion im Herbst 1935 im Kleinen Theater (Wien 2, Praterstraße 60) möglich.

In einem Entwurf zu einem Brief an die Theatergruppe Ernst Lönner schrieb Horváth:

Als mein Stück 1932 in Berlin uraufgeführt wurde, schrieb fast die gesamte Presse, es wäre eine Satire auf München und das dortige Oktoberfest – ich muß es nicht betonen, daß dies eine völlige Verkennung meiner Absichten war, eine Verwechslung von Schauplatz und Inhalt; es ist überhaupt keine Satire, es ist die Ballade vom arbeitslosen Chauffeur Kasimir und seiner Braut mit der Ambition, eine Ballade von stiller Trauer, gemildert durch Humor, das heißt durch die alltägliche Erkenntis: «Sterben müssen wir alle!»

Unabhängig von den zeitlich bedingten Kostümierungen ist und war es in Berlin immer Sitte zu fragen: «Gegen wen richtet sich das?» Man hat nie gefragt: «Für wen tritt es ein?» Das «gegen» war und ist dort immer wichtiger als das «für».

[Horváth, [Briefentwurf], kA 11, 222]

Die Scala, Wien 4, Favoritenstraße 8. Fotografie, 1931. (Ausschnitt).
Das Haus wurde nach dem Umbau im Jahr 1931 als Kino, ab 1933 unter der Direktion von Rudolf Beer wieder als Theater genützt.

Aus Berlin zurück, entwarf Horváth im Herbst 1935 in Windeseile ein neues Stück, das er im Widerspruch zu seinen Verpflichtungen Georg Marton gegenüber dessen Konkurrenten Max Pfeffer in Vertrag mit Vorschuß gab. Es wurde eine flache Komödie über die Filmwelt, die mächtigen Direktoren und die jungen Schauspielerinnen. Rudolf Beer, Leiter des Theaters Scala in Wien, erhielt den Text im Oktober zu lesen und zwei Monate später, am 10. Dezember 1935, fand die Uraufführung statt.

Beers Begeisterung – er hatte selbst viele Änderungen vorgenommen – wurde von Kritikern und Publikum nicht geteilt, obwohl er zwei Stars aufbot: Wera Liessem (1911–1991), Horváths Freundin, als junge charmante Schauspielerin, und den erfahrenen, wenn auch sehr eigenwilligen Egon Friedell (1878–1938) als Filmproduzenten. Friedell war ein Schriftsteller, der von Jugend an am Theater dilettierte; seine berühmteste Rolle war die Goethes in der gleichnamigen Szene, die er 1907 mit Alfred Polgar für das Kabarett Fledermaus geschrieben hatte. Unter seinem und Beers Einfluß mag die Einstudierung von «Mit dem Kopf durch die Wand» der Hauptspaß gewesen sein: Man traf sich nicht nur auf der Probebühne, sondern auch in Kaffeehäusern und zu Kegelpartien.

Alfred Polgar schrieb im Prager Tagblatt:
In der Komödie Horváths, dessen frühere Theaterstücke ihn als Durch- und Durch-Schauer, als Meister bösartigen Spaßes erwiesen, erscheint die Überlegenheit spöttischer Betrachtung ersetzt durch eine festgefrorene Grimasse der Überlegenheit. [...] Suzanne wird von Fräulein Wera Liessem dargestellt, in der kundige Beurteiler ein großes Talent sehen. [...] Als Film-Generaldirektor schlendert und poltert Friedell über die Szene, unbekümmert jovial, in keiner Weise angestrengt, sich in einen Versteller zu verstellen. Von ihm kann man wirklich sagen, daß er auf der Bühne wie zu Hause ist. Den Freunden im Zuhörerraum, ziemlich allen Zuhörern also, machte es viel Spaß, Friedell, dessen Witz, Klugheit und Bildung sie kennen, als Vertreter gerissener Ungeistigkeit und Ignoranz zu sehen. [Krischke 1991, 297]

Das Stück wurde nach fünf Vorstellungen abgesetzt, die Schulden Horváths aus Vorschüssen von Max Pfeffer stiegen an.

Der Verleger Alfred Ibach förderte Horváths nächste Projekte, die Stücke «Figaro läßt sich scheiden» und «Don Juan kommt aus dem Krieg», die 1936 entstanden (letzteres wurde erst 1952 uraufgeführt) – inmitten zahlreicher weiterer Pläne und Ideen.

Im Spätherbst 1936 oder 1937 kulminierte Horváths Unzufriedenheit mit dem Theater in einem schriftlich entworfenen teilweisen Autodafé: Er beabsichtige von nun an, nur noch an einer «Komödie des Menschen» zu schreiben, ohne Nebengedanken an den finanziellen Erfolg.

126

Ödön von Horváth: «**Mit dem Kopf durch die Wand. Komödie**». Uraufführung in der Scala, Wien, am 10. Dezember 1935. Regie und Bearbeitung: Rudolf Beer.
Szenenfotografie: Wera Liessem (Suzanne) und Egon Friedell (Generaldirektor Alexander Semper).

127

Hertha Pauli (1909–1973), Schauspielerin, Schriftstellerin. Fotografie Edith Glogau, Wien, um 1936.

Horváth hatte die junge Schauspielerin 1931 in Berlin kennengelernt. Sie kehrte 1933 nach Wien zurück und baute hier gemeinsam mit Carl Frucht eine Agentur für kurze literarische Texte auf (‹Österreichische Korrespondenz›). Sie blieb mit Horváth gut befreundet, auch nachdem die kurze enge Beziehung beendet war.

Der nebenstehend abgebildete und transkribierte Entwurf Horváths «Die Komödie des Menschen» für eine neue Arbeitsperspektive stellt einen verzweifelten Versuch dar, sich über die Ziele seiner literarischen Arbeit klar zu werden.

Von seinen Stücken, die er bis 1936 verfaßt hatte, verwarf er nur «Geschichten aus dem Wiener Wald» nicht. Die jüngsten Arbeiten in historischen Gewändern, «Pompeji» und «Das Dorf ohne Männer», zählte er bereits zum neuen Konzept. Mehr kam nicht zur Ausführung, da Horváth 1937/1938 vorwiegend Prosa schrieb.

Ödön von Horváth: «Die Komödie des Menschen». Handschrift, 1936 oder 1937. 1 Seite.

Der Text lautet:

DIE KOMÖDIE DES MENSCHEN
I. Pompeji.
  Das Dorf ohne Männer.
II. Die Pythagoreer.
  Die Diadochen.

~~*III.*~~

Der Gorilla: (als Prolog) Die Tiere haben durch die Menschen ebenfalls das Paradies verloren. Protest dagegen, dass die Menschen von den Affen abstammen.

Es ist vielleicht grotesk, in einer Zeit, die wie der ‹recte: die›, in der ich lebe, unruhig ist, und wo niemand weiss, was morgen sein wird, sich ein Programm im Stückeschreiben zu stellen. Trotzdem wage ich es, obwohl ich nicht weiss, was ich morgen essen werde. Denn ich bin überzeugt, dass es nur einen Sinn hat, sich ein grosses Ziel zu stecken. Zur Rechtfertigung und Selbstermunterung. –

Ich habe in den Jahren 1932–1936 verschiedene Stücke geschrieben; sie sind, außer zweien, gespielt worden, und zwar, wie man so zu sagen pflegt, mit Erfolg, ausser einem. Diese Stücke ziehe ich hiemit zurück, sie existieren nicht, es waren nur Versuche. Es sind dies:

Kasimir und Karoline
Liebe, Pflicht und Hoffnung
Die Unbekannte der Seine
Hin und Her.
Himmelwärts.
Figaro lässt sich scheiden
Don Juan kommt aus dem Krieg.
Das jüngste Gericht. [Der jüngste Tag]

Einmal beging ich einen Sündenfall. Ich schrieb ein Stück, «Das süsse Leben» ‹ergänzt:› Mit dem Kopf durch die Wand, ich machte Kompromisse ‹ergänzt: verdorben durch den neupreussischen Einfluss,› und wollte ein Geschäft machen, sonst nichts. Es wurde gespielt und fiel durch. Eine gerechte Strafe.

So habe ich mir nun die Aufgabe gestellt, frei von Verwirrung die Komödie des Menschen zu schreiben, ohne Kompromisse, ohne Gedanken ans Geschäft. Es gibt nichts Entsetzlicheres als eine schreibende Hur. Ich geh nicht mehr auf dem Strich und will unter dem Titel «Komödie des Menschen» fortan meine Stücke schreiben, eingedenk der Tatsache, dass im Ganzen genommen das menschliche Leben immer ein Trauerspiel, nur im einzelnen eine Komödie ist.

[vgl. die unvollständige Transkription in kA 11, 227 f]

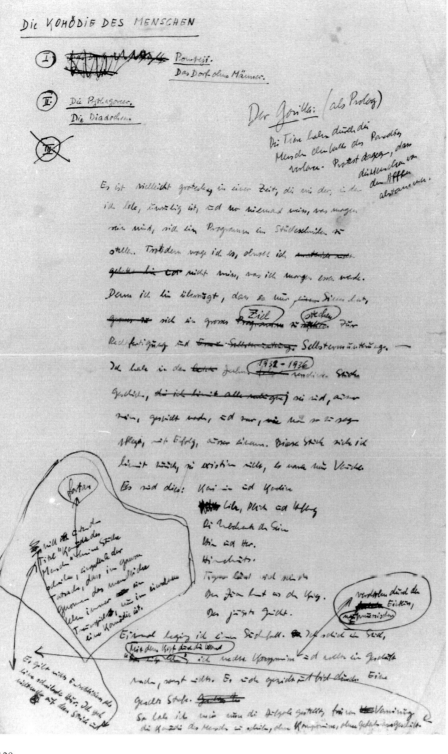

Horváth hatte die junge Schauspielerin Wera Liessem (1911–1991) im September 1934 in Berlin kennengelernt; sie wohnten ab Dezember in einer gemeinsamen Wohnung in Berlin-Nicolassee. Sie folgte dem Autor nach Wien, als er dies zu seinem Hauptwohnsitz machte und war auch während der Aufenthalte in Henndorf in seiner Nähe. Sie wurde oft als «seine Braut» bezeichnet.

Von Jänner 1936 bis Juli 1937 wohnten die beiden in Untermiete im Haus Dominikanerbastei 6, am Rand der Innenstadt. Horváth bevorzugte die nahen Lokale der Innenstadt, die nachts lang und morgens früh offen hatten, so manche nahe des Stephansdoms und in der Schönlaterngasse, wie Freunde berichteten. Ihn zogen nicht die teuren Lokale an, sondern die einfachen; zu diesen zählte das Wein- und Bierhaus von A. und E. Gerlitzer Zum Rinaldini in der Schönlaterngasse 4. Hier, in Heurigen und in Gaststätten im Prater, hielt er sich gerne auf – zur Unterhaltung wie zum ungestörten Arbeiten.

Ödön von Horváth in Possenhofen. Fotografie, 1936.

Wien 1, Dominikanerbastei 6. Fotografie, 1930er Jahre.
In diesem Haus wohnten Horváth und Liessem in den Jahren 1936/1937.

Wera Liessem. (Schauspielerin, 1911–1991).
Fotografie Ilse Liedtke, Berlin, Anfang 1930er Jahre.

In Wien waren wir oft mit Csokor zusammen oder auch mit Alfred Ibach, der immer mit uns durch die Wiener Beiseln zog, Horváths Lieblingsstätten. Er hatte das makabre Milieu ja immer schon gerne, je vulgärer, je komischer und anregender für ihn. Er fand feine Lokale furchtbar langweilig, und wir saßen bis nach Mitternacht, entweder in einem saftigen Bierlokal oder in düsteren, kleinen, zwielichtigen Spelunken, wo er es zu lustig fand, wie die Mädchen die Männer – oder umgekehrt – am Bändel hatten. Er fand das Studium der Ärmsten, der verkommensten Klasse immer viel lebensnäher, als die sogenannte gute Gesellschaft –

[Wera Liessem, in: Materialien zu Ödön von Horváth, 83]

Wien 1, Schönlaterngasse, Blick von der Jesuitenkirche zum Heiligenkreuzerhof. Fotografie, 1927.
Wien 1, Schönlaterngasse 4. Wein- und Bierhaus von A. und E. Gerlitzer Zum Rinaldini.
Fotografie Anders, um 1920.
Eines der einfachen Wirtshäuser in der Wiener Innenstadt, die Horváth gern besuchte.

Neben dem Kleinbürgertum (das Horváth ähnlich satirisch-schöp-
ferisch anregte wie [George] Grosz) und dem spezifisch Wiener-
jüdischen (über das er wenig in seinem Werk, um so öfter beim Wein
referierte), interessierte ihn ein anderes ‹Getto› heiß, das des Rum
melplatzes. So war er Stammgast in einem Café nahe dem Prater-
stern, das größtenteils von Liliputanern besucht wurde, solchen, die
im Wurstelprater in ‹Feigls Monstre-Weltschau› auftraten, und ‹bür-
gerlichen› Liliputanern, die es ebenso halbbewußt dahin zog, ‹unter
sich› zu sein wie jene Wiener, die meist ‹eine Stunde mit dem Tele-
gramm von Wien geboren› waren. Ödön, der großgewachsene, trank
einzig und allein dort seine Schale Braun, um unter Liliputanern zu
weilen wie Gulliver. In dieser Umwelt erholte er sich von den ‹Un-
tieren›, wie er den mehr oder minder rapid dem Nazismus verfal-
lenden Spießer titulierte.

[Ulrich Becher, in: Horváth, Stücke, 1961, S.421]

Horváth liebte die Reize des Wiener Praters: die Wahrsagerinnen und
andere Attraktionen, besonders aber die «Liliputstadt» – eine Stadt
der Liliputaner, in der sie ausgestellt wie Kuriositäten lebten; 1933
schrieb er einer Bekannten: *Ich freue mich schon, Sie in Wien*
wiederzusehen, dann gehen wir zum Heurigen und fahren mit der
Geisterbahn! [GW 4, 675]

Wien 2, **Prater. Vor der Schaubude von Jakob**
Feigel's ‹Weltwunder›. Der Ausrufer preist die
durchsichtige Mumie von Remanda an. Fotografie,
um 1933.

Wien 2, **Prater. Kartenleserin.**
Undatierte Fotografie.

Wien 1, Schottenring 1. Palais Ephrussi mit dem Hotel und Café de France. Fotografie, Ende der 1920er Jahre. Im Keller dieses Hauses war das Theater für 49 untergebracht.

Das kleine avantgardistische Theater machte im Herbst dieses Jahres viel Aufsehen mit Einaktern von Jacques Offenbach; im Winter wollte man Elias Canettis «Die Komödie der Eitelkeit» in einem Zirkus produzieren.

Während die Wiener Aufführung von «Kasimir und Karoline» durch Lönners Theatergruppe 1935 immerhin in kleinen Theatern zwei Wiederaufnahmen erlebte, blieb dem Werk «Liebe, Pflicht und Hoffnung. Ein kleines Volksstück» [eine Version von «Glaube, Liebe, Hoffnung»] breitere öffentliche Resonanz versagt.

Die Uraufführung fand am 13. November 1936 im Theater für 49, Wien, unter der Regie von Ernst Jubal statt. Die Kellerbühne hatte nominell nur 49 Sitzplätze, womit man verteuernde Auflagen der Behörden umgehen konnte. Am ersten Abend kamen nur wenige Bekannte des Autors und einige Kritiker. Diese lobten zwar das Stück und die Inszenierung, doch hatte Horváth wenig Grund zur Begeisterung über das Erreichte und legte seine Hoffnung in zukünftige Projekte. In diesem Sinn schrieb er zwei Wochen nach der Premiere, am 26. November 1936, einen Brief an die Eltern, ohne allerdings auf seine nächsten Vorhaben näher einzugehen:

Wien, 26. Nov. 36

Liebe Eltern, ich danke Euch vielmals für Euren Brief, auch Dir l[iebe]. Omama und Luci [Ödöns Bruder Lajos]. Beiliegend eine Kritik [zu «Liebe, Pflicht und Hoffnung»] aus dem ‹Pester Lloyd›. Was ich Euch bis jetzt geschickt hab, das war alles, was ich gelesen habe. Sonst habe ich noch nichts bekommen, in einzelnen Zeitungen wird ja noch was drinnen stehen. – –

Wie geht es Euch? Es wär sehr schön und sehr wichtig, wenn Du, l. apus, bald herkommen würdest. Es hat sich jetzt wieder allerhand verändert. Der Lönner wird [will] mein Stück unbedingt spielen, und zwar noch vor Weihnachten. Ich müsste jetzt noch unbedingt hier aushalten, dann hätte ich ziemlich solide Chancen, auch in allerkürzester Zeit Geld zu bekommen. Aber, wie gesagt, ich muss es halt jetzt abwarten. Zur Zeit arbeite ich an einer neuen Sache, mit der ich hoffe, noch vor Weihnachten fertig zu werden. – –

Sonst gibts hier nix Neues.

Es grüsst und küsst Euch vielmals Euer Ödön

[PS:] Das Paket habe ich erhalten. Vielen Dank!

Die erwähnte Kritik im ‹Pester Lloyd› vom 21. November 1936 ist etwas schülerhaft, ausführlich und insgesamt freundlich (sie fehlt allerdings in der Sammlung von Rezensionen «Horváth auf der Bühne 1926–1938»).

Ödön von Horváth: «**Liebe, Pflicht und Hoff nung**», Uraufführung im Theater für 49 in Wien am 13. November 1936. Regie Ernst Jubal.

Szenenfotografie mit Hedwig Schlichter (Elisabeth), Traute Witt (Frau Amtsgerichtsrat), Theodor Weingart (Polizist), Traute Larsen (Maria), Alexandra Hermann (Arbeiterfrau) aus ‹Das interessante Blatt›, Wien, Nr. 48 vom 26. November 1936, S.12.

Programmzettel zur Uraufführung.

Prag, Neues Deutsches Theater, Parkstraße / Sadová ulice.
Fotografie Siebenlist & Mössl, Wien, 1889.

Während Horváths Theatererfolge seit 1933 in Zürich und Wien bescheiden geblieben waren, öffnete sich ihm 1937 eine neue Region: deutschsprachige Bühnen in der Tschechoslowakei führten innerhalb eines Jahres drei seiner jüngsten Werke auf. Allerdings brachten diese Aufführungen keinen wirklichen Erfolg – weder an Ansehen noch auf kommerzieller Ebene.

Am 2. April 1937 fand die Uraufführung der Komödie «Figaro läßt sich scheiden» auf der Kleinen Bühne des Neuen Deutschen Theaters in Prag statt. Es folgten vier weitere Abende und ein Gastspiel im Stadttheater Reichenberg. Die Rezensionen lobten den Humor, die schlagfertige Kurzweil des Stücks, fern von Horváths früherer Gesellschaftskritik – das fiel wohl auch deshalb leicht, weil man gerade die zeitpolitischen Szenen zu Figaros Exil gestrichen hatte. Damit war aber der gegenwartsbezogene Strang des Stücks weggefallen, in dem Horváth historische mit zeitgenössischen Figuren und Situationen kombiniert.

Ein realpolitisches Szenario gewaltsamer Umwälzungen dient Horvath als Versuchsanordnung, in die er die bekannten Charaktere aus der Oper setzt. Die Figuren führen die Bandbreite möglichen Verhaltens in einer Extremsituation vor: Selbsttäuschung, Treue zu Ideen, Treue zu Menschen, Persönlichkeitsveränderungen durch den Druck der Umstände – wie Horváths Zeitgenossen in ihrer Kollaboration oder Emigration, Gutgläubigkeit, Solidarität, Selbstaufopferung oder lebenstüchtiger Anpassung an die Bedingungen des Exils.

Figaro, eigentlich den Ideen der Revolution zuneigend, geht Susanne zuliebe mit dem Grafenpaar Almaviva ins Exil. Der Graf, unfähig, die politischen Verhältnisse richtig einzuschätzen, schei-

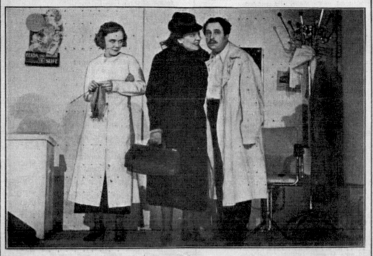

„Figaro läßt sich scheiden"

Der erste „Literarische Abend" in der Kleinen Bühne brachte die Uraufführung der Komödie „Figaro läßt sich scheiden" von Ödön Horváth unter der Spielleitung von Arnold Marlé. — Auf unserem Bilde: Marion Wünsche als Susanne, Lotte Stein als Hebamme, Hans Götz als Figaro

tert an den neuen Realitäten, läßt sich schließlich auf dubiose Geschäfte ein und kommt ins Gefängnis. Die Gräfin – in ihrer klassischen Frauenrolle als uneigenständige Ehefrau gefangen – gelangt nicht einmal zu politischen Erkenntnissen. Sie setzt die individuelle Verzichtshaltung zugunsten ihres Mannes auch unter den neuen Umständen fort und stirbt bald. Auch Susanne bleibt einer weiblichen, bloß reagierenden Haltung verhaftet – die Anpassung an die Realitäten des Gastlands, die der praktische Figaro von ihr fordert, will sie nicht leisten, und verläßt ihn. Sie führt in der Folge eine prekäre Existenz mit einem illegalen Job in einem Nachtcafé, das von Cherubin betrieben wird.

Figaro wird zur zentralen Figur; er schließt die angesprochenen Ebenen zusammen, ihm gelingt es, zupackend das alte wie das neue Leben zu meistern. Er macht zunächst einen eigenen Frisiersalon auf und versucht, sich anzupassen und sich zu integrieren. Als das durch Susannes obstinate Verweigerung sowie durch die Fremdenfeindlichkeit des Gastlands mißlingt, kehrt Figaro ins Ursprungsland zurück.

Dort hat die Revolution mittlerweile eine neue Etappe erreicht. Nun ist der lebenspraktische Figaro am richtigen Platz; hier wird es ihm möglich, akzeptable Lebensbedingungen zu schaffen: Er wird Verwalter des Almaviva-Schlosses, indem er einen sturen Ideologen verdrängt, und nimmt Susanne und den Grafen darin auf.

Ödön von Horváth: «Figaro läßt sich scheiden. Komödie» Uraufführung in der Kleinen Bühne des Neuen Deutschen Theaters, Prag, 2. April 1937 Regie Arnold Marlé.

Szenenfotografie aus der ‹Prager Presse› vom 4. April 1937 mit Marion Wünsche (Susanne), Lotte Stein (Hebamme) und Hans Götz (Figaro).

FIGARO: Es ist eine Welt zusammengebrochen, eine alte Welt. Der Graf und die Gräfin, sie leben nicht mehr, sie wissens nur noch nicht. Sie liegen aufgebahrt in den Grand-Hotels und halten die Pompesfunebres für Portiers, die Totengräber für Oberkellner und die Leichenfrau für die Masseuse. Sie wechseln jeden Tag die Wäsche, es bleibt aber immer ein Totenhemd, sie parfümieren sich, es riecht aber immer nach Blumen, die auf einem Grab verwelken. Es geht in die Grube, Susanne! Willst Du mit? Ich nicht.

[Horváth, Figaro läßt sich scheiden, 1936/1937, kA 8, 35]

Horváth wurde vorgeworfen, er sei der Stellungnahme zur Zeitgeschichte dort, wo es am dringendsten gewesen wäre, ausgewichen; was hinter seinem «Figaro» steckt, war kein Ersatz für tagespolitische Appelle, aber durchaus als Reaktion auf die Machtübernahme des Nationalsozialismus zu verstehen:

Die Komödie «Figaro läßt sich scheiden» beginnt einige Jahre nach Beaumarchais «Hochzeit des Figaro». Trotzdem habe ich es mir erlaubt, das Stück in unserer Zeit spielen zu lassen, denn die Probleme der Revolution und Emigration sind erstens: zeitlos, und zweitens: in unserer Zeit besonders aktuell. Unter der in dieser Komödie stattfindenden Revolution ist nicht also die große Französische von 1789 gemeint, sondern schlicht nur eine jegliche Revolution, denn jeder gewaltsame Umsturz läßt sich in seinem Verhältnis zu dem Begriff, den wir als Menschlichkeit achten und mißachten, auf den gleichen Nenner bringen. In der «Hochzeit des Figaro» wetterleuchtete die nahe Revolution, in «Figaro läßt sich scheiden» wird zwar voraussichtlich nichts wetterleuchten, denn die Menschlichkeit wird von keinen Gewittern begleitet, sie ist nur ein schwaches Licht in der Finsternis. Wollen es immerhin hoffen, daß kein noch so starker Sturm es auslöschen kann.

[Horváth, [Vorwort zu] Figaro läßt sich scheiden [in 13 Bildern], 1936/1937, kA 8, 11]

Die hochaktuelle Situation politischer und weltanschaulicher Verunsicherung mit dem Ablauf der Französischen Revolution zu hinterlegen, war ein meisterhafter Kunstgriff des politischen Skeptikers Horváth. Historische Motive, Personen und Situationen als Analogien zur Gegenwart zu behandeln, war in den dreißiger Jahren für viele Schriftsteller ein Mittel geworden, die zeitgenössische Situation zu analysieren und zu gestalten.

Die atmosphärisch gelungenen Szenen aus dem Emigrantenleben geben das Zeitkolorit, aber es kommt zu keiner Parteinahme des Autors: Das revolutionäre Regime wird nicht näher charakterisiert. Thema Horváths bleibt die Darstellung von Einzelmenschen, die nicht weit weg sind von seinen «üblichen», ihrem Schicksal nicht gewachsenen Personen: Keine Figur nimmt Partei, keine macht sich eine Ideologie zu eigen, niemand außer Figaro verfügt auch nur über alltagstaugliche Handlungskraft. Selbst er kann das gerade noch gute Ende nur zuwege bringen, weil der Autor ihm mit einer aus der Geschichte abgeleiteten kleinen Utopie hilft: mit dem Beschwören des bisher glimpflichen Endes revolutionärer Ereignisse in einer menschlich-erträglichen Bürgerlichkeit.

Zurück in Wien im April 1937 schloß der Autor Verträge mit zwei Theateragenten ab, mit Marton über «Ein Dorf ohne Männer» und mit dem Wiener Operetten Verlag über «Der jüngste Tag». Einen Monat später, am 22. Mai, berichtete die Wiener Zeitung ‹Echo›, daß eine Produktion des ersten Stücks für die kommende Saison im Theater in der Josefstadt in Aussicht genommen sei; der ‹Pester Lloyd› reagierte am 4. Juli auf die Ankündigung, indem er deren Bedeutung für den Autor unterstrich.

Horváth unterbrach die Arbeit an der Prosa, um am 24. September 1937, nunmehr im Großen Haus des Prager Neuen Deutschen Theaters, bei der Uraufführung seines Lustspiels «Ein Dorf ohne Männer» in der Inszenierung von Max Liebl dabeizusein. Überraschend für den Autor von bisher gegenwartsbezogenen Werken war die Wahl eines historischen Stoffs: Das Stück, eine nahe Adaptierung des Romans «A szelistyei arszonyok» / «Szelistye, das Dorf ohne Männer» von Kálmán Mikszáth (ungarisch 1901, deutsch um 1905 erschienen), spielt im Ungarn des 15. Jahrhunderts. Ein kalkulierter Seitenblick auf einen Einsatz auf ungarischen Bühnen ist nicht auszuschließen, ist doch der männliche Held König Matthias (Corvinus), eine Zentralgestalt der ungarischen Geschichte. Das Stück ist eine historische Gesellschaftskomödie, in der der König überlegen im Zusammenspiel mit klugen Frauen alle Probleme löst: verlockende Rollen für die Hauptdarsteller.

Zugunsten des Romanschreibens versäumte Horváth zwei weitere Aufführungen seiner Stücke:

«Himmelwärts», ein «modernes Mysterium mit Musik», wie der Untertitel beschreibt, wurde in einer Bearbeitung von Philipp von Zeska am 5. Dezember 1937 als einmalige Matineevorstellung der Freien Bühne in der Komödie, Wien, gegeben. Die Schauspieler und die Musik von Josef Carl Knaflitsch wurden von den Kritikern gelobt, der «Märchenposse» Zweitrangigkeit hinter Raimund attestiert. Horváth hatte es 1934 geschrieben und mit Absicht damit den Weg weg von der Tagesaktualität beschritten, hin zur positiven Gestaltungskraft der privaten Gefühle.

Das Schauspiel «Der jüngste Tag», uraufgeführt am Deutschen Theater in Mährisch-Ostrau (heute Ostrava, Tschechische Republik) am 11. Dezember 1937, erhielt eine durchaus positive, den Text und die Aufführung genau analysierende Kritik.

Die Grundaussage des Stücks, daß alle Lüge Schuld ist, gibt dem Stück eine zeitlose Dimension, die die positive Rezeption zweifellos erleichterte.

Die handelnden Personen, aus dem Horváthschen Repertoire sich selbst und einander gegenüber unehrlicher Kleinbürger, geben die Folie ab für ein Läuterungsdrama. Abgelenkt durch einen provokativ-verspielten Kuß, vergißt der phantasielos-gewissenhafte Stationsvorsteher Hudetz ein Signal zu stellen: Der Zug entgleist, Menschen sterben.

Das junge Mädchen Anna und der Stationsvorsteher werden durch diesen Fehltritt existenziell verbunden: sie schwört einen Meineid, um ihn vor der Verurteilung zu bewahren, erträgt die

Ödön von Horváth (5. v. links) beim Schlußapplaus der Uraufführung von «**Ein Dorf ohne Männer. Lustspiel**» in Prag. Fotografie, 1937.

Es ist typisch für unsere Tage, wie sehr sich jeder einzelne in seinem innersten Wesen ändert, infolge der Katastrophen, die die Allgemeinheit betreffen. So kommt auch Don Juan aus dem Krieg und bildet sich ein, ein anderer Mensch geworden zu sein. Jedoch er bleibt, wer er ist. Er kann nicht anders. Er wird den Damen nicht entrinnen.

[Horváth, Vorwort zu Don Juan kommt aus dem Krieg, 1936, kA 9, 11]

Die Inflation der Werte führt dazu, daß Männer wahllos Frauen als Objekt der Begierde benutzen. Die Frauen lassen diese Entwertung mit sich geschehen, weil sie es nicht gelernt haben, ein eigenständiges, selbstbestimmtes Leben zu führen.

Was treibt nun die Frauen zu Don Juan? [...] Der Don Juan sucht immer die Vollkommenheit, also etwas, was es auf Erden nicht gibt. Und die Frauen wollen es ihm, und auch sich selbst, immer wieder beweisen, daß er alles, was er sucht, auf Erden finden kann. Das Unglück der Frauen ist, daß sie einen irdischen Horizont haben – – erst, da sie es schaudernd ahnen, daß er nicht das Leben sucht, sondern sich nach dem Tode sehnt, schrecken sie vor ihm zurück.

[Horváth, Vorwort zu Don Juan kommt aus dem Krieg, 1936, kA 9, 12]

Belastung aber nicht. Für beide verdichtet sich die – bisher kaum real existierende – Beziehung zu einer tödlichen Verklammerung. Noch einmal provoziert sie ihn, gleich auf doppelter Ebene: die sexuelle Anziehung einzugestehen, und zugleich sie als Zeugin zum Schweigen zu bringen. Nach dem Mord an Anna – zugleich symbolische Vereinigung – fällt Hudetz wieder in das kleinbürgerliche Lügenverhalten zurück, fühlt sich zunächst von der Mahnerin und daher geradezu von der Schuld befreit. Letztlich bedarf es einer Mahnung durch die Seele der Toten, um ihn zur Erkenntnis seiner Schuld vor der Ewigkeit und daher zur Anerkennung der irdischen Justiz zu bringen.

Diese vier Theaterproduktionen standen freilich in keinem erfreulichen Verhältnis zu den Erfolgen aus dem Jahr 1931, wenn man die Zahl der Vorstellungen vergleicht: gab es damals 20 Vorstellungen von «Italienische Nacht» in Berlin, 27 der Wiener Fassung und 36 mal «Geschichten aus dem Wiener Wald», brachten es die vier Stücke im Jahr 1937 nur auf insgesamt 17 Vorstellungen.

Nicht aufgeführt wurde zu Horváths Lebzeit ein seit 1936 fertiges Schauspiel, «Don Juan kommt aus dem Krieg». Der Held aus Mozarts Oper kehrt aus dem Krieg (gemeint ist der Erste Weltkrieg) zurück, will seine idealisierte Braut finden, gerät aber nur an zahlreiche Frauen, die ihn an jene erinnern und welche er seinerseits an frühere Verhältnisse erinnert. Jede der weiblichen Figuren

aber hat ihr Vorkriegsbewußtsein überwunden, ist kälter, aber überlebensfähiger geworden. Eine positive Beziehung aufzubauen gelingt keiner der handelnden Personen, denn jede Frau, ebenso der Mann, haben nur die Erfüllung ihrer eigenen Wünsche, nicht aber die Bedürfnisse des / der anderen vor Augen. Don Juan, gescheitert auf der Suche nach der erinnerten Möglichkeit einer Liebe, überläßt sich der Erstarrung – im wahren Wortsinn: Er erfriert – erstarrt in Kälte zum Schneemann – eine von mehreren Parallelen zum Roman «Ein Kind unserer Zeit».

Daß «Don Juan» nicht aufgeführt wurde, mag durchaus an der Distanz gelegen sein zwischen der Zeit unmittelbar nach dem Ersten Weltkrieg, in der das Stück spielt, und den mittleren dreißiger Jahren, als es geschrieben wurde, als die Drohung neuer kriegerischer Auseinandersetzungen in der Luft lag.

«Ein Sklavenball» / «Pompeji», das letzte Theaterstück, das Horváth schrieb, kam ebenfalls zu seinen Lebzeiten auf keine Bühne. Der Autor rechnete es, anläßlich seines kritischen Überblicks über seine Dramenproduktion, zu seinen gelungenen Stücken, eine Bewertung, die überrascht, bezeichnet der Autor es doch selbst als «Operette». Mag man die Handlung als glückliche Fügung der Erfüllung einer Liebe, zugleich der Befreiung der handelnden Personen aus der Sklaverei und der Aufhebung ihres Schicksals im zukunftsweisenden Christentum resümieren, so bleibt die Ausführung jeden Anklang an so gewichtige Themen schuldig. Gestaltung und Dialoge suggerieren das leichte, kabaretthafte Spiel auf einer Kleinkunstbühne; gelegentliche Aperçus mit aktuell-politischen Anspielungen verstärken diesen Eindruck.

Ödön von Horváth: «**Der jüngste Tag. Schauspiel**», Uraufführung im Deutschen Theater in Mährisch-Ostrau (heute Ostrava, Tschechische Republik) am 11. Dezember 1937.

Zwei Szenenfotografien von Atelier Hela, Mährisch-Ostrau, 1937.

Sechstes Bild: In der Drogerie, Alfons (Hermann Vallentin) Frau Leimgruber (Albine Bauer).

Siebentes Bild: Auf dem Bahndamm, Hudetz (Sigurd Lohde), Gendarm (Ernst Waldbrunn), Alfons (Hermann Vallentin), Ferdinand (Rolf Döring), Wirt (Josef Almas).

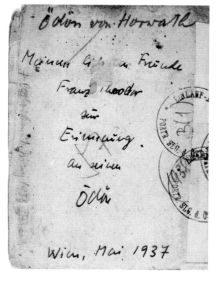

Ödön von Horváth. Fotografie um 1936.
Im Jahr 1937 schenkte Horváth eine solche Foto-
grafie Franz Theodor Csokor mit der **Widmung**:
Meinem liebsten Freunde Franz Theodor zur Erin-
nerung an seinen Ödön
Wien, Mai 1937
Ödön von Horváth: **«Auf der Suche nach den**
Idealen der Menschheit». 1 Seite, Handschrift,
um 1935. Entwurf zum Werkkomplex «Jugend
ohne Gott». [kA 13, 153 f].

Ablenkung war gefragt. Ende Jänner, Anfang Februar 1937 nahm
Horváth die Gelegenheit wahr, eine Bekannte nach Italien zu be-
gleiten – für sie ein Weg ins Exil mit romantischer Begleitung, für
ihn eine angenehme, wohl fremdfinanzierte Pause. Die Bekannte
von Horváth und Csokor war Maria Ray-Machaty, die Frau des
tschechisch-amerikanischen Filmregisseurs Gustav Machaty, der
1933 den Film «Ekstase» mit Hedy Kiesler [Lamarr] gedreht hatte.

Im Frühjahr 1937 war Horváth mit seinen nächsten Theater-
stücken beschäftigt.

Am 13. Juni nahmen Horváth und Csokor an einer spekta-
kulären Veranstaltung teil, die zugleich ein wenig von einem
Staatsakt und einem Kulturfest an sich hatte: Alma Mahler-Werfel
lud eine Menge Prominenter zu einem Gartenfest in ihr Haus auf
der Hohen Warte.

Von Juli bis Anfang September 1937 wohnte Horváth in
Henndorf bei Salzburg; er nahm Logis im Gasthof Bräu. Mit ihm
war Csokor, der von einer intensiven Arbeitssituation berichtete.
Diese wurde nur gelegentlich von Besuchen unterbrochen –
Csokor erwähnte Erich Kästner, Walter Trier, Walter Mehring.
Einmal fuhr man auch nach Salzburg zu einem Empfang Max
Reinhardts, der Horváth vorschlug, ein Exposé zu einem «Jeder-
mann»-Film für Hollywood zu schreiben.

Der kleine Ort Henndorf nahe Salzburg war von deutschen
Theaterleuten entdeckt worden, angeregt durch den österreichi-
schen Opernstar Richard Mayr, den Bruder des Bräuwirts. Die
Zuckmayers hatten die Wiesmühl schon 1929 gekauft und wohn-
ten nun, umgeben von vielen Gästen, darunter regelmäßig im
Sommer Csokor, im angenehm gemilderten Exil.

Hier schrieb Horváth wieder Prosa. Der Verlag Allert de Lange in Amsterdam, einer der wenigen größeren Exilverlage, hatte
mit dem Autor am 13. Juli 1937 einen Vertrag über einen Roman
abgeschlossen; in der ersten Septemberhälfte lieferte Horváth das
Manuskript, und der Roman «Jugend ohne Gott» erschien Ende
Oktober – eine enorm kurze Produktionszeit bei Autor und Verlag.

Der Erfolg und die eigene Zufriedenheit führten Horváth
dazu, den parallel entworfenen zweiten Roman sofort weiterzu-
schreiben; auch dafür zog er sich im Herbst und Winter 1937/1938
nach Henndorf zurück. Das Werk war im Jänner 1938 fertig und
im Mai gesetzt, so daß der Autor bei seinem Aufenthalt im Frühjahr in Amsterdam Korrektur lesen konnte. Erschienen ist «Ein
Kind seiner Zeit» erst nach Horváths Tod, im Herbst 1938.

Henndorf war für Horváth ein Refugium, in dem er sich wohl-
fühlte und gut arbeiten konnte – vielleicht beflügelt von einigen
Geistern: dem Alkohol in der Wirtsstube, der Freundschaft Zuckmayers und den Erscheinungen im «Geisterzimmer» des Gasthofs
Bräu, die nicht zu fürchten er sich brüstete.

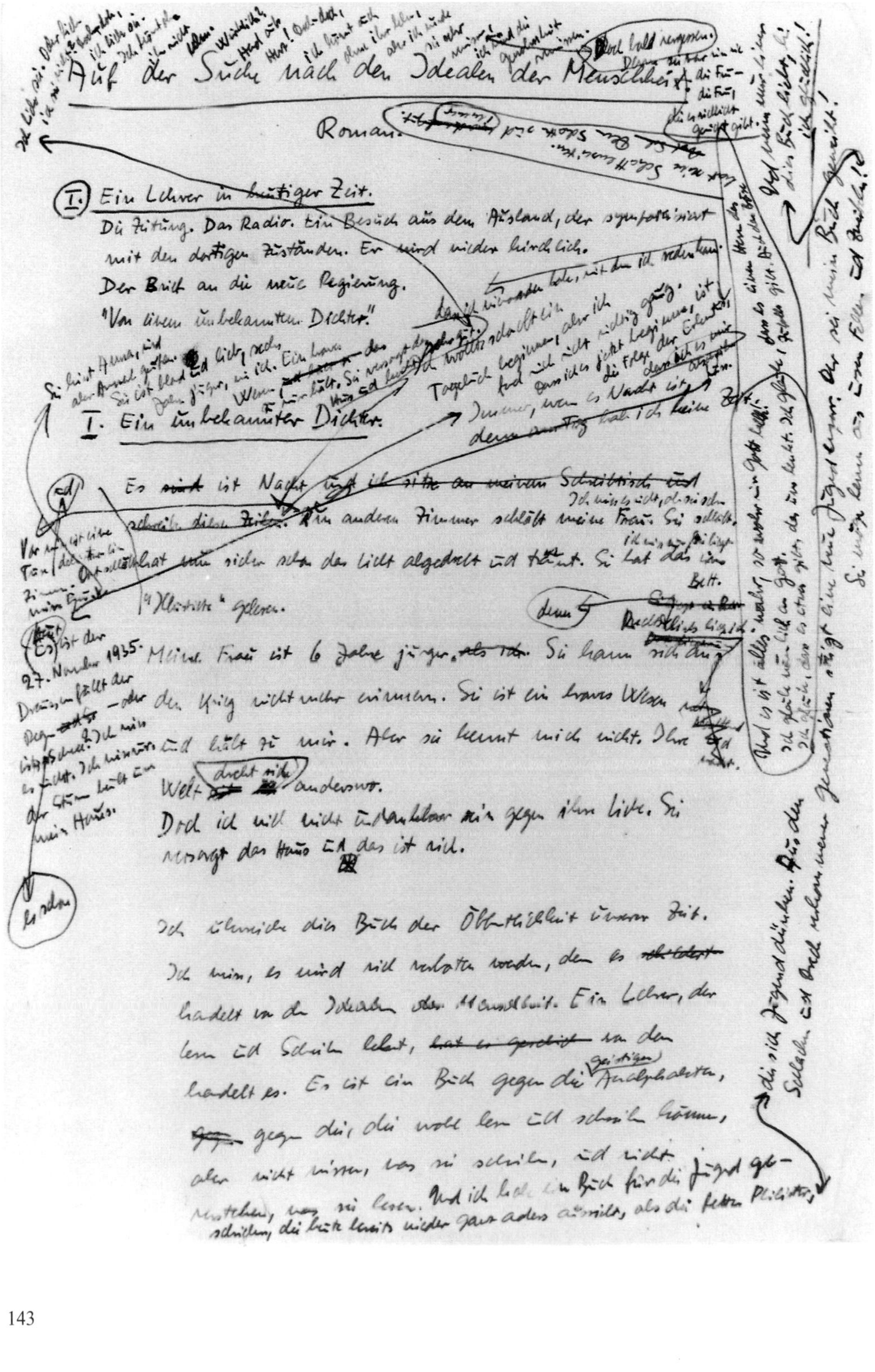

Auf der Suche nach den Idealen der Menschheit

Roman

I. Ein Lehrer in heutiger Zeit.

Die Zeitung. Das Radio. Ein Besuch aus dem Ausland, der sympathisiert mit den dortigen Zuständen. Er wird wieder hündlich.

Der Brief an die neue Regierung.

"Von einem unbekannten Dichter."

I. Ein unbekannter Dichter.

Es ist Nacht und ich schreibe diese Zeile. Im anderen Zimmer schläft meine Frau. Sie erlebte den Lärm, sie hat das Licht abgedreht und träumt. Sie hat das "Illustrierte" gelesen.

27. November 1935. Meine Frau ist 6 Jahre jünger als ich. Sie kann sich an den Krieg nicht mehr erinnern. Sie ist ein braves Wesen und hält zu mir. Aber sie kennt mich nicht. Ihre Welt ist anderswo.

Doch ich will nicht undankbar sein gegen ihre Liebe. Sie versorgt das Haus und das ist viel.

Ich schreibe dies Buch der Öffentlichkeit unserer Zeit.

Ich weiß, es wird viel verboten werden, denn es handelt von den Idealen der Menschheit. Ein Lehrer, der in der Schule lebt, handelt es. Es ist ein Buch gegen die Analphabeten, gegen die, die wohl lesen und schreiben können, aber nicht wissen, was sie schreiben, und nicht verstehen, was sie lesen. Und ich habe ein Buch für die Jugend geschrieben, die heute wieder ganz anders aussieht, als die früheren Geschlechter.

143

Henndorf bei Salzburg. Gasthof Moser, später Bräu. Fotografie 1911.
Theaterleute bei Max Reinhardt (links) im Salon des Schlosses Leopoldskron, Salzburg. Fotografie, 20er Jahre. Im Bild, von links: Rosamond Pinchot, Paul Hartmann, Tilly Losch, Hermann Thimig, Harald Kreutzberg, Lili Darvas.
Carl Zuckmayer, Ödön von Horváth und Hans Müller in einem Salzburger Kaffeehaus. Fotografie Ellinger, 1937.

Murnau, Appell der Hitler-Jugend vor dem Rathaus, Fotografie, 1934.

Murnau, «Thing-Platz» des «Ersten Hochland-Lagers» 1934. Fotografie, 1934.

Das NS-Lager mit 6000 Buben in 320 Zelten fand im August 1934 in der Nähe von Murnau statt.

Der Roman «Jugend ohne Gott» schildert, wie Schüler zu Menschenverachtung und Haß erzogen werden. In der Schule lernen sie «Zucht», «Gehorsam» und Rassenhaß; bei Geländeübungen und Lagerfeuerromantik lernen sie das Kriegshandwerk. Die seichten Kollektiverlebnisse lassen sie verrohen und machen sie zu willfährigen Mitläufern des faschistischen Staates. Der humanistisch gesinnte Lehrer bemerkt die wachsende Gefühllosigkeit seiner Schüler, doch er tut zunächst nichts dagegen, sondern folgt den Anordnungen der vorgesetzten Dienstbehörde. Da wird ein Schüler ermordet. Nun folgt der Lehrer der Stimme Gottes und findet den Weg zur Wahrheit. Für einige Schüler wird sein Vorbild wegweisend. Gemeinsam verbünden sie sich gegen Lüge und Abstumpfung und klären das Verbrechen auf.

Im Jahr 1937 schrieb Horváth kurz nacheinander die beiden Romane «Jugend ohne Gott» und «Ein Kind unserer Zeit». Der erste erschien Ende Oktober 1937 im Exil-Verlag Allert de Lange in Amsterdam. Der Roman begründete den internationalen Erfolg Horváths und wurde binnen eines Jahres in acht Sprachen übersetzt. Die Vorarbeiten – erzählerische Skizzen und das Fragment «Der Lenz ist da!» – lassen sich bis 1933/1934 zurückverfolgen. Horváth hatte seinen Wohnsitz in Murnau zwar Anfang 1933 aufgeben müssen, war aber wiederholt dorthin zurückgekehrt, als ihn die Behörden offiziell schon zu den Emigranten rechneten. Er ließ sich von Details des ihm vertrauten Milieus anregen und sammelte Material. So waren Anfang 1934 die Vorbereitungen zum ersten «Hochland-Lager» der Hitlerjugend voll im Gange. Das große Zeltlager fand vom 4. bis 28. August 1934 bei Murnau statt.

Die Nationalsozialisten verboten «Jugend ohne Gott» innerhalb kurzer Zeit. Im Frühjahr 1938 setzte man den Roman wegen seiner «pazifistischen Tendenzen» auf die «Liste des schädlichen und unerwünschten Schrifttums». Die Geheime Staatspolizeit wurde angewiesen, im Reichsgebiet auftauchende Exemplare des Buches zu beschlagnahmen.

Ein halbes Jahr später wurde auch Horváths Roman «Ein Kind unserer Zeit» verboten. Er schildert das Schicksal eines Kriegsfreiwilligen, der allmählich entdeckt, daß er an die falsche Front geraten ist. Der Soldat wird am Arm verwundet, als er seinem Hauptmann, der den Krieg nicht mehr aushält und sich selbst opfert, zu Hilfe eilen will. Die Verletzung heilt nicht. Auf seinem Weg in die Irrealität besucht der Soldat die Witwe des Hauptmanns und verbringt mit ihr eine melancholische Nacht. Eigentlich möchte er aber eine Frau finden, der er auf dem Rummelplatz begegnet war, deren Spuren sich aber nicht aufnehmen lassen. Ziellos wandert er umher und erfriert zum Schneemann auf einem Friedhof: Symbolbeladene Geschichte eines vom Krieg entwurzelten Menschen, der nirgends mehr Fuß fassen kann.

etwas stehlen. Die Drei ab. Kitty bleibt mit Peter zurück, von dem sie durch Capone hörte, dass er auf dem
Standpunkt steht, es käme nicht auf die Tore an. Es
bildet sich leise eine Beziehung zwischen Kitty und
Peter. Hannes kommt unerwartet zurück, Peter ab in das
Zeltlager. Kitty ist wütend, dass Hannes ihren Auftrag
nicht ausführt und merkt dann erst hohnlachend, dass er
auf Peter eifersüchtig ist. Sie beruhigt ihn: sie hätte
entdeckt, dass Peter eine goldene **Uhr** habe und sie würde
ihm nur deshalb schön tun, um ihm die Uhr stehlen zu
können. Der Akt schliesst mit einer melancholischen Liebesszene zwischen **Kitty** und Hannes.

ZWEITER AKT

Am Waldrand.
Die Mädchen aus dem Ferienlager turnen und treiben Gym-
nastik unter Leitung der Lehrerin. Die Jungen aus dem
Zeltlager marschieren mit Gesang vorbei unter Führung
von Schmidt. Schmidt begrüsst die Lehrerin, eine dreis-
sigjährige Sporterscheinung. Dann zieht er weiter. Die
Mädchen blicken den Jungen nach, die Lehrerin ruft sie
zur Ordnung und es wird nun das Kriegsspiel "verscholle-
xxxxxxxxxxx nen Flieger suchen" gespielt. Das Spiel besteht darin, dass die Mädchen auf einem grösserem Gelände
ausschwärmen und einen abgestürzten Flieger suchen -- der
Flieger wird durch ein grellbemaltes Holz markiert. Die
Mädchen und die Lehrerin ab. Die Jungen kommen mit Schmidt

Ödön von Horváth: **«Der Lenz ist da».** Typoskript, Handschrift, S.1-7,
davon S.3.
Situationen aus dem Dramenfragment «Der Lenz ist da!» und Örtlichkei-
ten aus Murnau finden sich später in «Jugend ohne Gott» wieder, etwa das
Zeltlager der Jungen, das Quartier der Mädchen im Schloß, die stillgeleg-
te Fabrik, die jugendliche Räuberbande und das nächtliche Rendezvous.

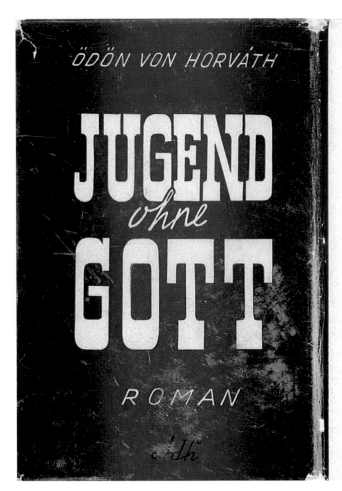

JUGEND OHNE GOTT.

Die Tragödie einer Jugend die, ohne Liebe zu Gott und Achtung vor den Menschen, in Verachtung all dessen aufwächst, was früheren Generationen heilig war. Und die Geschichte eines Lehrers der, unter dem Zwang des Staates, gegen sein Gewissen, die Jugend unter Verleugnung seiner wahren Ideale erziehen soll.

Diese seelenlose Verfassung der Jugend die, abseits von Wahrheit und Gerechtigkeit, in einer unheimlichen Kälte heranwächst, ist die Voraussetzung für ein fürchterliches Verbrechen, das unter Jugendlichen begangen wird. Der Lehrer, dessen Bestimmung es ist dieses Verbrechen aufzuklären, folgt der Stimme Gottes und findet den Weg zur Wahrheit.

Horváth, bekannt als das stärkste Talent der jungen deutschen Dramatiker, Kleistpreisträger des Jahres 1931, gestaltet diese erschütternde Geschichte mit dem Geist eines wahren Dichters, voll Glauben an eine göttliche Gerechtigkeit und Wahrheit, die stärker ist als die Realität einer traurigen Gegenwart.

Ödön von Horváth: «**Jugend ohne Gott. Roman**». Amsterdam, Allert de Lange 1938. Schutzumschlag und Innenklappe der Erstausgabe, die Ende Oktober 1937 erschien.

Daß diese Burschen alles ablehnen, was mir heilig ist, wär zwar noch nicht so schlimm. Schlimmer ist schon, wie sie es ablehnen, nämlich: ohne es zu kennen. Aber das Schlimmste ist, daß sie es überhaupt nicht kennenlernen wollen!

Alles Denken ist ihnen verhaßt.

Sie pfeifen auf den Menschen! Sie wollen Maschinen sein, Schrauben, Räder, Kolben, Riemen – doch noch lieber als Maschinen wären sie Munition: Bomben, Schrapnells, Granaten. Wie gerne würden sie krepieren auf irgendeinem Feld! Der Name auf einem Kriegerdenkmal ist der Traum ihrer Pubertät.

[Horváth, Jugend ohne Gott, 1937, kA 13, 23 f]

Ödön von Horváth. Fotografie, um 1937.

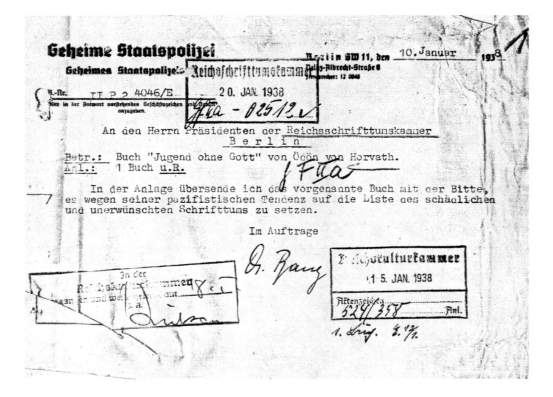

Geheime Staatspolizei an den Präsidenten der Reichsschrifttumskammer, Brief vom 10. Jänner 1938. Antrag, «Jugend ohne Gott» auf die «Liste des schädlichen und unerwünschten Schrifttums» zu setzen.

Horváth sprach die Hoffnung aus, daß eine neue Generation lernfähig sein würde:

Ich überreiche dies Buch der Öffentlichkeit unserer Zeit. Ich weiss, es wird viel verboten werden, denn es handelt von den Idealen der Menschheit. Ein Lehrer, der Lesen und Schreiben lehrt, von dem handelt es. Es ist ein Buch gegen die geistigen Analphabeten, gegen die, die wohl lesen und schreiben können, aber nicht wissen, was sie schreiben und nicht verstehen, was sie lesen. Und ich hab ein Buch für die Jugend geschrieben, die heute bereits wieder ganz anders aussieht, als die fetten Philister, die sich Jugend dünken. Aus den Schlacken und Dreck verkommener Generationen steigt eine neue Jugend empor. Der sei mein Buch geweiht! Sie möge lernen aus unseren Fehlern und Zweifeln! Und wenn nur einer dies Buch liebt, bin ich glücklich!

[Horváth, Entwurf zum Roman «Auf der Suche nach den Idealen der Menschheit», später «Jugend ohne Gott», 1935, kA 13, 154, ohne Ergänzungen]

Warum mußt ich eigentlich weg von zuhaus?
Wofür bin ich denn eingetreten? Ich hab nie politisiert. Ich trat ein
für das Recht der Kreatur. Aber vielleicht wars meine Sünde, daß
ich keinen Ausweg fand?
[Horváth, Adieu, Europa!, 1938, in: Horváth Blätter 1, 11]

Zu Anfang des Jahres 1938 fuhr Horváth nach Budapest, um seine
Papiere in Ordnung zu bringen. Am 8. Jänner stellten ihm die ungarischen Behörden eine neue Staatsbürgerschaftsurkunde aus. Mehrfach war er von dem Ehepaar Hatvany (Jolan, eine Schriftstellerin,
Lajos, ein Mäzen) zu einem längeren Aufenthalt in die ungarische
Hauptstadt eingeladen worden; er verschob den Termin, um mit seinem jüngsten Roman möglichst rasch weiter zu kommen. Von Ende
Jänner bis Mitte Februar hielt sich Horváth in Schärding, Ober-
österreich, auf, um seinen Magen zu kurieren. Dann wohnte er knapp
einen Monat in der Pension Atlanta, Wien 9, Währingerstraße 33. Am
9. März kündigte er dem Ehepaar Hatvany sein Eintreffen in Budapest für den 14. März an.

Am Freitag, dem 11. März, forderte die deutschen Regierung
die österreichische zum letzten Mal zum Rücktritt auf und zur

Ödön von **Horváths ungarischer Staatsbürger-
schaftsnachweis,** ausgestellt am 8. Jänner 1938 in
Budapest.

Aufgabe der für den 13. März geplanten Volksabstimmung; gleichzeitig begannen die Vorbereitungen zum Einmarsch in Österreich. Da Österreich das deutsche Ultimatum ablehnte und Bundeskanzler Schuschnigg zurücktrat, Bundespräsident Miklas jedoch erst spät den Deutschland-freundlichen Seyß-Inquart als Nachfolger akzeptierte, begann am 12. März der Einmarsch deutscher Truppen, die von der Bevölkerung lebhaft begrüßt wurden. In zahlreichen staatlichen Positionen, auch im Rundfunk, hatten sich bereits Österreicher als Nationalsozialisten deklariert bzw. die Entscheidungsgewalt an sich gezogen. Während Hakenkreuzfahnen aufgezogen wurden und Demonstrationen den «Anschluß» bejubelten, fanden bereits die ersten Verhaftungen statt.

Ödön und Lajos von Horváth, Csokor, Lernet-Holenia, Zuckmayer und andere Freunde trafen sich, um die Lage zu besprechen; ähnlich am 13. März bei Hertha Pauli, die sich erinnerte:

[...] Es war sein Lieblingsausspruch.

Auch jetzt, während draußen die Nationalsozialisten durch Wien zogen und die Stadt in Besitz nahmen, trat er in mein Zimmer mit der Frage: «San's net tierisch?» Es klang ruhig und gelassen wie immer, aber ganz und gar nicht mehr vergnügt.

[Hertha Pauli, Der Riß der Zeit, 25]

Wien, 14. März 1938. Reichskanzler Adolf Hitler und der von ihm am Vortag ernannte «Reichsstatthalter der ‹Ostmark›» Arthur Seyß-Inquart bei einer Fahrt auf der Ringstraße.
Fotografie Albert Hilscher, Wien.

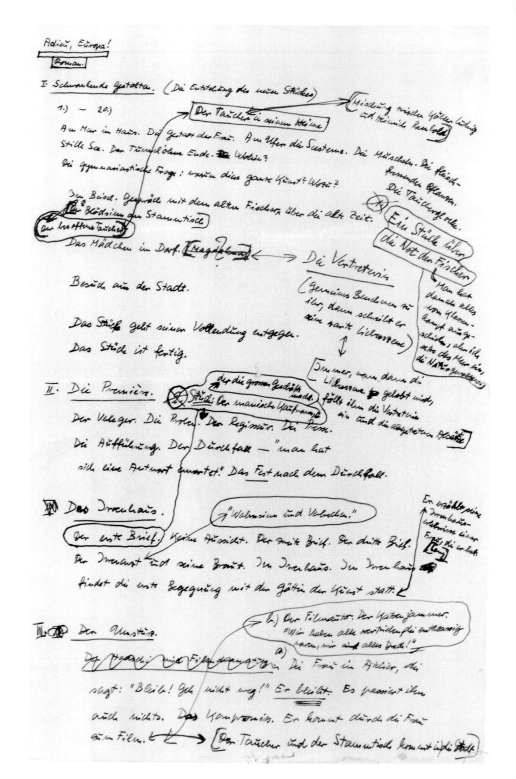

Adieu, Europa!

[Roman.]

I. Schwankende Gestalten. (Die Entstehung des neuen Stückes)

1.) — 20.)

Der Taucher in seinem Ozean

Am Meer im Haus. Die Gestalt der Frau. Am Ufer die Seesterne. Die Muscheln. Die Fleisch-fressenden Pflanzen. Die Taucherglocke.

Stille See. Der Tümpel ohne Ende. Welche?

Die gymnasiastische Frage: warum diese ganze Kunst? Wozu?

Im Beisel. Gespräche mit dem alten Fischer über die alte Zeit.

Der Blödsinn am Stammtisch

Der besoffene Taucher

Das Mädchen im Dorf. [Magdalena]

Die Vertreterin

(Genaues Beschreiben von ihr, dann schreibt er eine zarte Liebesszene)

Ein Stück über die Not der Fischer

Immer, wenn dann die Liebesszene gelobt wird, fällt ihm die Vertreterin ein und die sogenannten Bräute

Besuch aus der Stadt.

Das Stück geht seiner Vollendung entgegen.

Das Stück ist fertig.

II. Die Premiere.

Stück über manische Umzäunung der die große Geschäft macht.

Der Verleger. Die Probe. Der Regisseur. Die Presse.

Die Aufführung. Der Durchfall — "man hat sich eine Antwort erwartet." Das Fest nach dem Durchfall.

III. Das Irrenhaus.

"Wahnsinn und Verbrechen."

Der erste Brief. Keine Aussicht. Der zweite Brief. Der dritte Brief.

Der Irrenarzt und seine Braut. Das Irrenhaus. Im Irrenhaus findet die erste Begegnung mit der Göttin der Kunst statt.

Er erzählt seine Irrenhaus-Erlebnisse einem Erzähler, die er hat. [lang]

III. Der Umsturz.

b.) Der Filmautor. Der Katerjammer. "Wir haben alle vertierischen entlarvt waren, wir sind alles Dreck!"

a.) Die Frau im Atelier, die sagt: "Bleib! Geh nicht weg!" Er bleibt. Es passiert ihm auch nichts. Das Kompromiss. Er kommt durch die Frau zum Film.

Der Taucher und der Stammtisch kommt in die Stadt

Ödön von Horváth: **«Adieu, Europa! Roman»**

Handschrift. 1 Seite.

Eines von mehreren Übersichts-Blättern zu dem Fragment gebliebenen Werk mit dem aktuell klingenden Titel und gleichnishaft wie autobiografisch anmutenden Stichworten. Der Text lautet:

Adieu, Europa!

Roman.

I. Schwankende Gestalten. (Die Entstehung des neuen Stückes)

1.)–20.) Der Taucher in seinem Heime. [Mischung aus Köhler Ludwig und Heinrich Rumbold]

Am Meer im Haus. Die Gestalt der Frau. Am Ufer die Seesterne. Die Muscheln. Die fleischfressenden Pflanzen. Die Taucherglocke.

~~I.~~ Ein Stück über die Not der Fischer.

Man hat damals alles vom Klassenkampf aus geschrieben, aber ich setze das Meer ein, die Naturgewalten.

Im Beisl [Der Blödsinn am Stammtisch] [Der besoffene Taucher] Gespräch mit dem alten Fischer über die alte Zeit.

Das Mädchen im Dorf. [Magdalena ?] – Die Vertreterin. (Gemeines Benehmen zu ihr, dann schreibt er seine zarte Liebesszene [Immer wenn dann die Liebesszene gelobt wird, fällt ihm die Vertreterin ein und die abgetretenen Absätze])

Besuch aus der Stadt.

Das Stück geht seiner Vollendung entgegen.

Ds Stück ist fertig

II. Die Première.

Der Verleger. Die Proben. (~~2.~~ Stück: Der manische Kaufmann, der die grossen Geschäfte macht.) Der Regisseur. Die Presse. Die Aufführung. Der Durchfall - «man hat sich eine Antwort erwartet!». Das Fest nach dem Durchfall

~~III.~~ Das Irrenhaus.

Der erste Brief. Keine Aussicht. Der zweite Brief. Der dritte Brief. Der Irrenarzt («Wahnsinn und Verbrechen».) und seine Braut. Im Irrenhaus. Im Irrenhaus findet die erste Begegnung mit der Göttin der Kunst statt. Er erzählt seine Irrenhauserlebnisse einer Frau, die er hat [Cory].

III. ~~IV.~~ Der Umsturz.

<Der Hadschi wird Filmdramaturg.> a.) Die Frau im Atelier, die sagt: «Bleib! Geh nicht weg!» Er bleibt. Es passiert ihm auch nichts. Das Kompromiss. Er kommt durch die Frau zum Film. [Der Taucher und der Stammtisch kommt in die Stadt]

b.) Der Filmautor. Der Katzenjammer. «Wir haben alle vertrieben, die erstklassig waren, wir sind alles Dreck!»

Robert Siodmak in seiner Wohnung in Berlin. Fotografie Ufa, 1932. Ausschnitt.

An Siodmaks Interesse, den Roman «Jugend ohne Gott» zu verfilmen, knüpfte Horváth Hoffnungen auf ein zukünftiges Einkommen. Deshalb traf er ihn in Paris.

Ödön von Horváth mit Hut und einer Zeitung in der Hand. Fotografie, vermutlich 1938.

Etwas bedenklich stand es auch um einen anderen Poeten, der uns zuweilen in Amsterdam besuchte: Ödön von Horváth, den ungarischen Dramatiker und Romancier. Zwar trank er nicht so viel [wie Joseph Roth], sprach auch kaum je vom Kaiser; indessen fehlte es seiner Konversation doch nicht ganz an alarmierenden Zügen. Horváth, eine der merkwürdigsten dichterischen Begabungen seiner Generation, plauderte für sein Leben gern über seltsame Unglücksfälle, groteske Krankheiten und Heimsuchungen aller Art. Auch Gespenster, Hellseher, Wahrträume, Halluzinationen, Ahnungen, das Zweite Gesicht und andere spukhafte Phänomene spielten eine Rolle in seinem Gespräch, welches übrigens durchaus nicht in bangen Flüstertönen, sondern mit jovialer, oft recht lauter Heiterkeit geführt wurde. Horváth hatte nichts vom Hysteriker oder vom pedantisch-düsteren Liebhaber des Okkulten; eher zeichnete er sich durch robuste Gesundheit und Genußfähigkeit aus. Er wußte aber viel von der Angst, *von jenem tiefen, lähmenden Unbehagen, welches Freud als ein zentrales Element unserer Kultur erkannt hat und dessen Überhandnehmen vielleicht das eigentlich entscheidende, verhängnisvolle Ereignis der Epoche bedeutet. «Vor den Nazis habe ich keine so sehr große Angst»,* stellte Horváth fest. *«Es gibt ärgere Dinge, nämlich die, vor denen man Angst hat, ohne zu wissen, warum. Ich fürchte mich zum Beispiel vor der* Straße. *Straßen können einem übelwollen, können einen vernichten. Straßen machen mir Angst.»*

[Klaus Mann, Wendepunkt, 330 f]

Horváth fuhr in der Nacht vom 13. auf den 14. März mit einem Bus nach Budapest; dort blieb er, wohlaufgehoben bei Hatvanys, etwa zwei Wochen, ehe er in Teplitz-Schönau (heute Teplice, Tschechische Republik) die Schauspielerin Lydia Busch aufsuchte. Er arbeitete an einem neuen Roman mit dem Titel «Adieu, Europa!», wie er Csokor schrieb, und plante seine Zukunft, wenn auch schwankend; er wolle sich in die Westschweiz zum Arbeiten zurückziehen – oder doch länger in der Tschechoslowakei bleiben.

Schließlich fuhr Horváth Ende April / Anfang Mai über Budapest, Triest, Venedig, Mailand außen herum um den nationalsozialistischen Staat nach Zürich. Über Brüssel traf er am 19. Mai in Amsterdam ein. Dort besprach er sich mit den Mitarbeitern der deutschsprachigen Abteilung des Verlags Allert de Lange, wo der Roman «Ein Kind seiner Zeit» im Kürze erscheinen sollte; Horváth las Korrektur. Der Roman kam erst im September heraus, um ein Vorwort von Franz Werfel und die Grabrede von Carl Zuckmayer ergänzt. Auch dieses Werk wurde sofort in mehrere Sprachen übersetzt.

Paris, Champs Elysées. Blick vom Rond Point zum Arc de Triomphe.
Fotografie Roger-Viollet, 1938.

Am 28. Mai traf Horváth «auf der Durchreise» in Paris ein; er wohnte im gleichen billigen Hôtel de l'Univers (nahe dem Théâtre de l'Odéon) wie Hertha Pauli und andere Emigranten. Bekannte zu sehen und Geschäftliches zu klären war seine Absicht; mit dem Regisseur Robert Siodmak den Plan zu besprechen, «Jugend ohne Gott» zu verfilmen; Armand Pierhal kennenzulernen, den Übersetzer dieses Werks ins Französische.

Am 1. Juni besuchte Horváth eine Vorstellung von Walt Disneys Zeichentrickfilm «Snow White and the Seven Dwarfs» / «Schneewittchen und die sieben Zwerge», eine der Sensationen der Saison; danach traf er Robert Siodmak und seine Frau in einem Café; abends um 7 Uhr trennte man sich. Auf dem Weg die Champs Elysees entlang fiel ein von einem Sturm gelöster Ast auf den Kopf des Autors. Ödön von Horváth war sofort tot.

Sein Begräbnis fand am 7. Juni am Friedhof von Saint-Ouen, Paris, statt.

Ja, dem Kleinen und Kleinsten gehörte Deine besondere Art von Liebe – den Anonymen – denen, die «Masse» sind und Masse bilden, ohne es zu wissen und ohne sich zu bekennen – und die doch in der steten und unbegriffenen Sehnsucht leben, Mensch zu werden und eines edleren Menschentums teilhaftig zu sein.

Du hast ihre Sprache verstanden. Du hast oft die Seelenlosigkeit ihrer Zufallsworte enthüllt, und doch erspürtest Du dahinter die geheimen Herztöne der Unerlöstheit, der Not, der Trauer, der Hoffnung aller Kreatur. Und aus der schmucklosen, der unverblümten Sprache des dumpfsten, des zeitgebundenen Alltags erwuchs Dir ein ganz persönliches und neu geartetes, ein zartes und kraftvolles Dichtertum.

[Carl Zuckmayer, Abschied von Ödön von Horváth. Gesprochen an seinem Grab, Paris, 7. Juni 1938, in: Zuckmayer, Aufruf zum Leben, 217]

1901 Dezember 9

Ödön Horváth wird in Sušak bei Fiume (Rijeka, heute Kroatien) geboren.

Eltern: Dr. Edmund Josef von Horváth (1874–1950), Beamter im Dienst des ungarischen Handelsministeriums, 1909 geadelt;

Maria Hermine, geb. Přehnal (1882–1959);

Geschwister: Lajos von Horváth (1903–1968).

1902–1908

Die Familie wohnt in Belgrad.

1908

Übersiedlung nach Budapest; Horváth besucht das Erzbischöfliche Internat Rákóczianum.

1913

Horváth folgt den Eltern, die schon 1909 nach München übersiedelt waren, und geht dort bis 1916 zur Schule.

1916–1918

Horváth besucht die Oberrealschule in Preßburg (Bratislava, heute Slowakei), dann in Budapest.

1919

Horváth besucht eine Maturaschule in Wien.

1919–1922

Studium in München, nicht abgeschlossen.

1922

Erste Publikation «Das Buch der Tänze», Teile davon werden vertont in der Kallenberg-Gesellschaft in München uraufgeführt.

1924

Die Familie Horváth bezieht ein Landhaus in Murnau, Oberbayern, in dem sie bis 1933 wohnt; der Ort wird Horváths liebster Aufenthalt und Wohnort. Doch hält er sich in den nächsten Jahren wochenweise auch in München und in Berlin auf. Er schreibt «Sportmärchen», von denen einige veröffentlicht werden. Es entstehen zahlreiche literarische Arbeiten, die nicht alle erhalten sind; Spuren in späteren Werken führen wiederholt auf die frühe Arbeitsphase zurück.

1926

Es entstehen die frühesten Stücke, die komplett erhalten sind: «Revolte auf Côte 3018» (ein Stück über den Bau der Seilbahn auf die Zugspitze) und «Zur schönen Aussicht» (Komödie über Machtbeziehungen in einem von einem Gast beherrschten Hotel).

1927

Horváth beteiligt sich in der «Deutschen Liga für Menschenrechte» in Berlin an der Recherche für das Buch «Acht Jahre politische Justiz. Das Zuchthaus – die politische Waffe». Thema sind u. a. die Fememorde der «schwarzen Reichswehr» und anderer illegaler Vereinigungen; sie werden der Hintergrund für das Stück «Sladek», das Horváth in zwei Varianten ausarbeitet.

Ansuchen um Einbürgerung werden von den bayerischen Behörden abschlägig behandelt.

1927 November 4

Uraufführung von «Revolte auf Côte 3018» in Hamburg, anschließend umgearbeitet zum Volksstück «Die Bergbahn», das am 4. Jänner 1929 in Berlin Premiere hat.

1929–1932

Ein Vertrag mit dem Ullstein Verlag über die gesamte literarische Produktion sichert Horváth ein regelmäßiges Einkommen.

1929

Zahlreiche Entwürfe zu Prosatexten.

Reise nach Spanien zur Weltausstellung in Barcelona.

1930

Der Roman «Der ewige Spießer» erscheint.

1931 März 20

Das Volksstück «Italienische Nacht» wird in Berlin uraufgeführt. Zahlreiche Motive gehen auf Erlebnisse in Murnau zurück; im Sommer 1931 wird in Wien eine gekürzte Fassung dieser Inszenierung gezeigt.

1931 Juli

Nach einer Saalschlacht zwischen Sozialdemokraten und Nationalsozialisten in Murnau findet das gerichtliche Nachspiel statt, in dem Horváth gegen die letzteren als Zeuge aussagt.

1931 Oktober 25

Horváth erhält auf Nominierung durch Carl Zuckmayer zusammen mit Erik Reger den renommierten Kleist-Preis.

1931 November 2

Uraufführung des Volksstücks «Geschichten aus dem Wiener Wald» in Berlin. Es wird ein verzweifelter Ausbruchsversuch einer jungen Frau aus ihrer kleinbürgerlichen Umgebung gezeigt; die Szenen sind durch Ortsangaben und sprachliche Eigenheiten in Wien und Umgebung situiert. Die Wiener Presse empört sich.

1932 April 5

Radiointerview mit Willy Cronauer für den Bayerischen Rundfunk.

1932 November 18

Uraufführung des Volksstücks «Kasimir und Karoline» in Leipzig und ab 25. November in gleicher Besetzung in Berlin. Das Stück spielt auf einem Rummelplatz wie dem Oktoberfest in München.

1933

Im Rahmen der nationalsozialistischen Kulturpolitik wird Heinz Hilpert gezwungen, die angekündigte Inszenierung von «Glaube Liebe Hoffnung» abzusagen. Dieses Stück hatte Horváth 1932 gemeinsam mit dem Münchner Journalisten Lukas Kristl über einen unspektakulären Kriminalfall, der nichtsdestoweniger das Leben einer Arbeitslosen zerstört, geschrieben.

1933 Frühjahr

Nach einer Auseinandersetzung mit ortsansässigen Nationalsozialisten in Murnau verläßt Horváth Deutschland. Er übersiedelt nach Wien.

1933 Dezember 27

Heirat mit der Schauspielerin Maria Elsner; die Ehe wird 1934 geschieden.

1934

Zwei in Wien geplante Theaterprojekte werden nicht realisiert. Horváth übersiedelt nach Berlin.

Er schließt mit einem Berliner Verlag einen Vertrag über das Stück «Himmelwärts»; es wird nicht gespielt.

Horváth rechtfertigt sich gegenüber den nationalsozialistischen Behörden als Nicht-Gegner des deutschen Staates und wird in den «Reichsverband Deutscher Schriftsteller» aufgenommen.

Er arbeitet für Filmproduktionen, darunter «Das Einmaleins der Liebe».

1934 Dezember 13

Uraufführung von «Hin und Her» in Zürich, einer Posse um Zu- und Aberkennung von Heimatrechten.

1935

In Wien wird «Kasimir und Karoline» von der Theatergruppe um Ernst Lönner aufgeführt. Der Erfolg ermöglicht zweimal die Wiederaufnahme des Stücks.

1935 Herbst

Horváth übersiedelt wieder nach Wien, gemeinsam mit der Schauspielerin Wera Liessem.

In Murnau wird Horváth als flüchtiger Kommunist gemeldet.

1935 Dezember 10

Uraufführung des Lustspiels «Mit dem Kopf durch die Wand» in Wien.

1936

Horváth arbeitet an mehreren Stücken.

1936 November 13

Uraufführung des Stücks «Liebe, Pflicht und Hoffnung», eine Fassung von «Glaube Liebe Hoffnung». Während eines Besuchs bei den Eltern in Bayern (sie wohnen mittlerweile in Possenhofen und München) wird Horváth von der örtlichen Gendarmerie aufgefordert, den Ort Possenhofen sofort zu verlassen.

Horváth verwirft die meisten seiner Theaterstücke und wendet sich der Prosa zu.

1937

In Henndorf schreibt er rasch hintereinander zwei Romane.

Einige seiner jüngst verfaßten Stücke werden deutschsprachig in der Tschechoslowakei aufgeführt:

1937 April 2

Uraufführung von «Figaro läßt sich scheiden» in Prag.

1937 September 24

Uraufführung von «Ein Dorf ohne Männer» in Prag.

1937 Herbst

Der Roman «Jugend ohne Gott» erscheint im holländischen Exil-Verlag Allert de Lange in deutscher Sprache; er wird in rascher Folge in mehrere Sprachen übersetzt.

1937 Dezember 5

Uraufführung von «Himmelwärts» in Wien.

1937 Dezember 11

Uraufführung von «Der jüngste Tag» in Mährisch-Ostrau / Ostrava.

1938 Frühjahr

Der Roman «Ein Kind unserer Zeit» wird fertiggestellt (er erscheint im Herbst 1938) und der nächste, «Adieu, Europa!» begonnen.

1938 März 13

Horváth flieht aus Österreich, das am Tag zuvor von deutschen Truppen besetzt worden war, nach Ungarn und ist Gast bei den Mäzenen Hatvany in Budapest.

1938 April

Aufenthalt bei der Schauspielerin Lydia Busch in Teplitz-Schönau / Teplice (Tschechoslowakei)

1938 Mai

Fahrt nach Zürich, Amsterdam und Paris.

1938 Juni 1

Tod unter einem herabfallenden Ast während eines kurzen Gewitters auf den Champs-Elysées in Paris.

Ödön von Horváth. Gesammelte Werke. [GW] Hrsg.: Dieter Hildebrandt, Walter Huder, Traugott Krischke. Band 1-4. Frankfurt/M, Suhrkamp, 1970-71.

Ödön von Horváth. Gesammelte Werke. Kommentierte Werkausgabe in Einzelbänden. [kA] Hrsg.: Traugott Krischke, Susanna Foral-Krischke. Band 1-14. Frankfurt/M, Suhrkamp, 1983 ff:

1 Zur schönen Aussicht und andere Stücke
2 Sladek
3 Italienische Nacht
4 Geschichten aus dem Wiener Wald
5 Kasimir und Karoline
6 Glaube Liebe Hoffnung
7 Eine Unbekannte aus der Seine und andere Stücke
8 Figaro läßt sich scheiden
9 Don Juan kommt aus dem Krieg
10 Der jüngste Tag und andere Stücke
11 Sportmärchen, andere Prosa und Verse
12 Der ewige Spießer
13 Jugend ohne Gott
14 Ein Kind unserer Zeit
Supplementband 1: Himmelwärts und andere Prosa aus dem Nachlaß. Hrsg.: Klaus Kastberger; Frankfurt/M, Suhrkamp, 2001

Kurt **Bartsch:** Ödön von Horváth. Stuttgart, Metzler, 2000

Uwe **Baur:** Horváth und die kleinen Nationalsozialisten. In: Literatur und Kritik. Nr .125 vom Juni 1978, S.291-294

Ulrich **Becher:** Stammgast im Liliputanercafé. In: Ödön von Horvath: Stücke. (Hrsg.: Traugott Krischke). Reinbek, Rowohlt, 1961

Kurt R. **Grossmann:** Ossietzky. Ein deutscher Patriot. München, Kindler, 1963

Dieter **Hildebrandt:** Ödön von Horváth in Selbstzeugnissen und Bilddokumenten. Reinbek, Rowohlt, 1975

Horváth Blätter 1/83. Göttingen, Edition Herodot, 1983
Horváth Blätter 2. Göttingen, Edition Herodot, 1984
Traugott **Krischke:** Horváth-Chronik. Daten zu Leben und Werk. Frankfurt/M, Suhrkamp, 1988
Traugott **Krischke:** Horváth auf der Bühne. 1926–1938. Dokumentation. Wien, Edition S, 1991

Traugott **Krischke** (Hrsg.): Horváths «Geschichten aus dem Wiener Wald». Frankfurt/M, Suhrkamp, 1983
Traugott **Krischke** (Hrsg.): Materialien zu Ödön von Horváth. Frankfurt/M, Suhrkamp, 1970 [Materialien zu Ödön von Horváth]
Traugott **Krischke** (Hrsg.): Materialien zu Ödön von Horváths «Geschichten aus dem Wiener Wald». Frankfurt/M, Suhrkamp, 1972
Traugott **Krischke** (Hrsg.): Materialien zu Ödön von Horváths «Glaube Liebe Hoffnung». Frankfurt/M, Suhrkamp, 1973
Traugott **Krischke** (Hrsg.): Materialien zu Ödön von Horváths «Kasimir und Karoline». Frankfurt/M, Suhrkamp, 1973
Traugott **Krischke:** Ödön von Horváth. Kind seiner Zeit. München, Heyne, 1980
Traugott **Krischke,** Hans F. **Prokop** (Hrsg.): Ödön von Horváth. Leben und Werk in Dokumenten und Bildern. Frankfurt/M, Suhrkamp, 1972
Traugott **Krischke,** Hans F. **Prokop** (Hrsg.): Ödön von Horváth. Leben und Werk in Daten und Bildern. Frankfurt/M, Insel, 1977 [Krischke / Prokop 1977]
Klaus **Mann,** Der Wendepunkt. Ein Lebensbericht. Frankfurt/M, S. Fischer, 1952
Hertha **Pauli:** Der Riß der Zeit geht durch mein Herz. Ein Erlebnisbuch. Wien, Zsolnay, 1970
Ulrich N. **Schulenburg,** Helmut Stefan **Milletich** (Hrsg.): Lebensbilder eines Humanisten. Ein Franz Theodor Csokor-Buch. Wien, Löcker / Sessler, 1992
Elisabeth **Tworek-Müller:** Kleinbürgertum und Literatur. Zum Bild des Kleinbürgers im bayerischen Roman der Weimarer Republik. München 1985
Elisabeth **Tworek-Müller:** Horváth und Murnau. Wien und Murnau, Löcker, 1988
Elisabeth **Tworek:** Kommentar zu «Ödön von Horváth. Jugend ohne Gott». Frankfurt/M, Suhrkamp, 1999
Luise **Ullrich:** Komm auf die Schaukel, Luise. Balance eines Lebens. Frankfurt/M, S. Fischer 1975
Laszlo **Willinger:** 100 x Berlin. [1929]. [Neuausgabe:] Berlin, Gebr. Mann, 1997
Carl **Zuckmayer:** Als wär's ein Stück von mir. Horen der Freundschaft. Frankfurt/M, S. Fischer, 1966
Carl **Zuckmayer:** Aufruf zum Leben. Porträts und Zeugnisse aus bewegten Zeiten. Frankfurt/M, S. Fischer, 1976

DANK

Wir danken folgenden Personen, Institutionen und deren MitarbeiterInnen für ihre freundliche Hilfe:

Berlin:
Akademie der Künste
Susanne Bennetreu
Deutsche Kinemathek
Gebrüder Mann Verlag
Hermann Haarmann
Regina Hoffmann
Christine Möller
Staatsbibliothek zu Berlin. Preußischer Kulturbesitz
Toralf Teuber
Wolfgang Trautwein
Ullstein Bildarchiv
Bern:
Thomas Blubacher
Bratislava:
Anna Grusková
Budapest:
Julianna Bartha-Wernitzer
Fővárosi Szabó Ervin Könyvtár, Budapest
Ehrwald (Tirol):
Archiv der Tiroler Zugspitzbahn, Ehrwald
Frankfurt/M:
Suhrkamp Verlag
Innsbruck:
Zeitungsarchiv des Tiroler Landesmuseums
Koblenz:
Deutsches Bundesarchiv Koblenz Standort: Berlin, Bestand R (Deutsches Reich)
München:
Archiv der Ludwig Maximilians-Universität
Archiv des Oskar von Miller-Gymnasiums
Bayerische Staatsbibliothek München, Handschriftensammlung
Erna Emhardt, München
Monacensia. Literaturarchiv und Bibliothek
Staatsarchiv München
Stadtarchiv München
Ullstein Buchverlag
Heidemarie Walitza
Murnau (Bayern):
Familie Ludwig Haller, Murnau
Marktarchiv des Marktes Murnau
Brigitte Salmen
Schloßmuseum des Marktes Murnau

Paris:
Archiv Roger-Viollet
Salzburg:
Armin Eidherr
Gisela Prossnitz
Wien:
Album Verlag
Haris Balic
Gerd Baumgartner
Ingeborg Birkin-Feichtinger
Frau Dambacher
Dokumentationsstelle für neuere österreichische Literatur: Bibliothek, Bildarchiv, Österreichische Exilbibliothek
Gabriele Donner-Sunkovsky
Susanne Eschwé
Eva Maria Feitzinger
Susanna Foral-Krischke
Eckart Früh
Stefan Fuhrer
Edda Fuhrich
Historisches Museum der Stadt Wien
Elisabeth von Horváth, Preßbaum / Wien
Monika Jagos
Kammer der Arbeiter und Angestellten für Wien, Tagblattarchiv
Klaus Kastberger
Hans Leiningen-Westerburg, Preßbaum / Wien
Fachlabor Foto Leutner
Christian Lunzer
Alfred Martinek
Österreichische Nationalbibliothek, Bibliothek, Bildarchiv, Handschriftensammlung, Österreichisches Literaturarchiv
Österreichisches Theatermuseum
Ulrike Polnitzky
Evelyne Polt-Heinzl
Christine Schmidjell
Ulrich N. Schulenburg
Ursula Seeber
Thomas Sessler Verlag
Wiener Stadt- und Landesbibliothek, Handschriftensammlung, Musiksammlung
Anne Zauner

und Gustav Jelliner in Argentinien

Akademie der Künste, Berlin, Sammlung Horváth: 26 u, 58 u, 70, 78, 91 o, 91 u, 96, 98, 122 u, 140, 141; Arbeiterkammer Wien, SOWIDOK, Tagblattarchiv: 134 o, 145 o; Archiv der Salzburger Festspiele, Salzburg: 145 u; Archiv der Stiftung Deutsche Kinemathek, Berlin: 118, 120; Gerd Baumgartner, Wien: 77 o; Bayerische Staatsbibliothek München, Handschriften: 26 o; Deutsches Bundesarchiv, Koblenz: 113, 114, 115, 116, 149; Dokumentationsstelle für neuere österreichische Literatur, Wien: 30 li, 58 o, 83 u, 109 re, 137, 139, 142 o, 154; Dokumentationsstelle für neuere österreichische Literatur, Wien, Exilbibliothek: 148 o; Fővárosi Szabó Ervin Könyvtár, Budapest: 11 o; Familie Ludwig Haller, Murnau: 41 u; Historisches Museum der Stadt Wien: 23; Ludwig Maximilians-Universität München, Archiv: 25; Gebr. Mann Verlag, Berlin: 42, 60; Marktarchiv Murnau: 34, 50 li, Monacensia. Literaturarchiv und Bibliothek, München: 16; Österreichische Nationalbibliothek, Wien, Bildarchiv: 8 o, 10 o, 19 o, 19 u, 20 o, 22, 77 u, 84 o, 87 o, 88, 89 u, 107, 110, 111 o, 123 u, 126, 128, 130 re, 132 o, 132 u, 133 o, 133 u, 134 u, 136, 142 u, 144, 151; Österreichische Nationalbibliothek, Wien, Österreichisches Literaturarchiv, Nachlaß Horváth 3/90, mit Berliner Signatur: 6 re: 2.29.2/1, 7: 37a/63/54, 9: 2.29.2/5, 10 u: 2.3.2/10, 21: 37a/63/51, 27: 2.29.2.10, 39: 2.29.1/5, 41 o: 37a/63/45, 65: 37a/63/50, 72: BS 12a [1.7.2.5], 99, 100, 101: BS 64h, 102 u: 37a/63/39, 104: BS 39a[2], 121: BS 2/1.5, 129: BS 64a [1.4.6], 143: BS 40a, 147: BS.11.b, 152: BS.16.a; Österreichische Nationalbibliothek, Wien, Österreichisches Literaturarchiv, Nachlaß Horváth 3/90, ohne Berliner Signatur: 12, 38; Österreichische Nationalbibliothek, Wien, Österreichisches Literaturarchiv, Nachlaß Marton / Sessler 27/94: 79, 105: 39d/2L/14; Österreichische Nationalbibliothek, Wien, Österreichisches Literaturarchiv, Nachlaß Krischke 84/97: 124; Österreichisches Theatermuseum, Wien: 59, 64 li, 64 re, 83 o, 92, 97, 111 u, 119, 127, 131, 145 o, 153; Roger-Viollet, Paris: 155; Schloßmuseum Murnau, Bildarchiv: 28, 29, 35 u, 37 o, 37 u, 45, 50 re, 52 o, 52 u, 53 o, 80 o, 80 u, 81 o, 81 u, 146 o, 146 u; Schul-Archiv des Oskar von Miller-Gymnasiums München: 15; Staatsbibliothek zu Berlin Preußischer Kulturbesitz. Zeitungsabteilung: 71 o; Stadtarchiv München: 13, 16 o, 17, 66, 73, 94, 95, 102 re; Staatsarchiv, München: 44, 67, 84 u, 85, 86, 106; Tiroler Zugspitzbahn, Ehrwald: 56 o; Ullstein Bildarchiv, Berlin: 8 u, 62, 71 u, 82 o, 82 u, 90 o, 90 u, 103; Ullstein Verlag, Archiv, München: 63; Wiener Stadt- und Landesbibliothek, Musiksammlung: 89 o; Privatsammlungen: 6 li, 10 u, 14, 18, 30 li, 30 re, 31, 32 li, 32 re, 33 li, 33 re, 35 o, 36, 43, 48, 51, 53 u, 54, 55, 56 u, 61, 69 re, 73, 76, 87 u, 93, 102 o, 105 o, 117, 125, 130 li, 148 u, 150.